LES TRANSPORTS PUBLICS ET LA VILLE

FRANCIS BEAUCIRE

LES ESSENTIELS MILAN

Sommaire

Les mots suivis d'un astérisque (*) sont expliqués pages 60 et 61.

Les transports publics au cœur des politiques urbaines

Les transports publics sont associés à la vie urbaine à un point tel qu'on ne les remarque pas, parce qu'ils «passent dans le paysage». C'est lorsque les autobus ou les métros ne roulent pas que le citadin ressent comme une absence dans les rues de la ville. Mais pas n'importe quelle ville.

Car il y a deux villes. L'une dense en habitants, en activités et en bâtiments, riche en patrimoine culturel: c'est la ville que l'histoire nous transmet. Elle constitue le milieu de vie du transport public.

L'autre ville, clairsemée de bâtiments, saupoudrée d'habitants, prend son aise dans la campagne alentour. Le transport public peine à la desservir, car les distances à parcourir sont trop longues et les citadins rassemblés autour de lignes sont trop rares. Dans cette ville étalée, c'est alors la voiture individuelle qui s'impose.

Chaque mode de transport a donc sa pertinence, selon les territoires de la «double-ville» et les besoins variés de ses habitants. C'est l'affaire des politiques de déplacement que d'inciter les citadins à choisir le mode le mieux adapté au lieu et au motif du déplacement, ainsi que d'offrir à tous le loisir de bouger.

Dans les rues, les transports publics urbains circulent dans le cortège des valeurs de la ville historique, aux côtés de la diversité, de la proximité et du patrimoine. Ils sont rarement abandonnés aux règles de la libre entreprise. Ceux qui président à la destinée des villes, les élus, président aussi à celle des transports collectifs. Choisir les transports publics urbains, c'est d'abord choisir la ville dans laquelle on souhaite vivre: c'est l'affaire des politiques d'urbanisme.

Voirie et déplacements dans la ville préindustrielle

L'idée de proposer des transports collectifs aux citadins revient à Blaise Pascal en 1662, mais elle échoue. Elle ne reparaîtra que cent cinquante ans plus tard : la ville des XVIIe et XVIIIe siècles reste une ville faite pour les marcheurs, mais dans quelles conditions !

Le privilège de rouler

Jusqu'au début du XIXe siècle, la plupart des habitants des villes se déplacent à pied. Seuls les nobles, qui disposent de leurs propres moyens de transport (chaises à porteurs puis fiacres), roulent en carrosse. Mais on peut aussi louer des services privés de transport, ce que font surtout les bourgeois. Au début du XVIIe siècle, ces services s'imposent, pour une durée de trois cents ans, comme les ancêtres des taxis.

À Paris, à la veille de la Révolution française, circulent 2000 fiacres pour 600000 habitants, dans des rues qui commencent seulement à se débarrasser de tout ce qui les encombre et gêne la circulation : étals des vendeurs, charrettes, ateliers en plein air. Un siècle auparavant, dans une satire intitulée *Les embarras de Paris*, Boileau déjà, en quelque endroit qu'il aille, devait « *fendre la presse d'un peuple d'importuns qui fourmille sans cesse* ».

La Compagnie des carrosses à cinq sols

Blaise Pascal (1623-1662) crée en 1662 une compagnie de transports en commun. Véritable ancêtre des transports collectifs actuels, elle offre aux citadins, aux bourgeois en particulier, cinq lignes régulières aux itinéraires fixes, aux horaires réguliers et au prix unique, soit cinq sols. Elle disparaît en 1677 pour des raisons financières.

Vivre et travailler « au quartier »

Car le peuple non seulement marche, mais vit aussi dans des rues sans trottoirs, non revêtues, remplissant la fonction d'égouts à ciel ouvert, souvent boueuses, et cela jusqu'à la fin du XVIIIe siècle. Mais les distances parcourues sont courtes : la vie quotidienne se déroule aux alentours immédiats du logement.

En effet, artisans et commerçants travaillent et habitent dans la même maison, ou bien se déplacent au sein du

Chaise à porteurs au XVIIIe siècle.

quartier. On exploite des parcelles agricoles autour des villes de telle façon que l'on puisse s'y rendre à pied, y travailler et en revenir dans une journée limitée par le lever et le coucher du soleil.

Une ville pédestre

L'horizon du peuple des villes est donc marqué par la proximité : la ville préindustrielle reste à portée de jambes pour l'immense majorité de ses habitants. C'est la vitesse de l'homme allant à pied qui détermine les dimensions géographiques de la ville.

Ceinte de murailles, fermée par des portes, elle déborde peu de ses limites physiques. À l'extérieur, les faubourgs se développent spontanément le long des routes d'accès, ou bien des quartiers nouveaux sont construits en fonction de plans préétablis. Mais ses formes compactes et la modestie de ses extensions ne compromettent pas son unité, qui repose jusqu'au XIXe siècle sur le rythme et la durée de la marche.

De la fin du XVIIIe au début du XIXe siècle, toutes les fonctions urbaines sont à proximité du lieu où l'on vit, et on se déplace à pied. En conséquence, la ville est de petite taille et compacte ; la vie de quartier est intense.

Des rails dans la ville

Au début du XIXe siècle apparaissent les omnibus à chevaux. Puis le tramway, né aux États-Unis en 1832, est progressivement adopté dans toutes les villes d'Europe. Tramways et chemins de fer de banlieue donnent aux agglomérations urbaines des formes et des dimensions jusqu'alors inconnues.

Une expansion urbaine sans précédent

Au XIXe siècle, la croissance urbaine, très rapide, est à la fois démographique et géographique. L'exode rural et le recul de la mortalité se conjuguent pour faire grossir la population des villes et engendrer une vigoureuse urbanisation. Entre 1800 et 1850, Londres et Paris triplent leur population, pour atteindre respectivement 3 millions et 1,5 million d'habitants.

L'extension spatiale des villes nécessite des moyens de transport collectifs, capables de faire se déplacer, plus rapidement qu'à pied et sur une plus grande distance, une part beaucoup plus importante de la population.

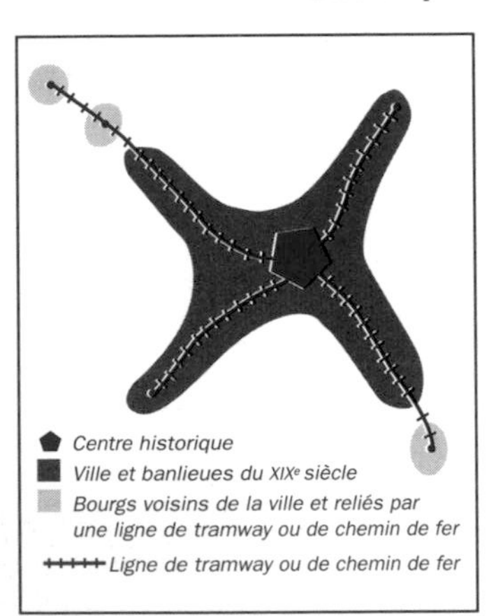

Urbanisation en « doigts de gant »
Au XIXe siècle, les tramways et les chemins de fer de banlieue dessinent les contours de l'urbanisation « en doigts de gant », c'est-à-dire concentrée et linéaire.

Des inventions pour aller plus vite, plus loin, plus nombreux

Les premières lignes d'omnibus à chevaux apparaissent à Londres au tout début du XIXe siècle, puis se répandent dans toutes les villes, dont Paris en 1828. Le guidage des voitures à chevaux par des rails noyés dans la chaussée améliore les conditions de circulation. Il fait son apparition aux États-Unis en 1832, puis est adopté en Europe : le tramway est installé à Paris en 1855, à Londres en 1861. Des tramways à vapeur, à air comprimé et enfin électriques commencent à rouler à partir de 1870.

Dans les mêmes années, le métropolitain, chemin de fer de ville souterrain ou sur viaduc, permet de développer l'offre de transport collectif sans encombrer les rues. Le métro roule à Londres dès 1863, à New York en 1868 et à Paris en 1900. Enfin, dès le début du XXe siècle, les premiers autobus à essence augmentent le rayon d'action des lignes de tramway, car ils permettent de desservir rapidement les nouveaux quartiers pour un coût inférieur – notamment en infrastructures – à celui du tramway.

Les tramways *« accaparaient une grande part de la magie que l'on accorde aux moyens de transport. La plupart des poètes y virent un signe de la modernité urbaine. (...) Il servait à électriser la ville comme le Gin, comme les idées grisantes (...). »* Pierre Sansot, *Poétique de la Ville*, Méridiens Klincksieck, 1984.

Circulation d'omnibus à chevaux dans les rues de Paris en 1905.

Le tramway dessine la ville

Les lignes de transports urbains guident l'urbanisation, en général le long des grands axes routiers qui divergent à partir du centre des villes. Les banlieues se développent suivant la forme des doigts d'un gant, parcourues par une ligne de tramway ou de chemin de fer de banlieue. Depuis les stations suburbaines, parfois situées aux limites de la campagne, on peut se rendre aussi bien dans le centre que dans les ceintures industrielles en moins d'une heure. Les transports collectifs deviennent peu à peu l'indispensable outil de la vie quotidienne. À Paris, alors que la population s'accroît de 1,6 à 2,6 millions d'habitants entre 1851 et 1876 (soit +60 %), le trafic des transports collectifs passe, dans la même période, de 40 à 115 millions de voyageurs (soit +190 %).
C'est toute la vie urbaine qui se met en mouvement à l'orée du XXe siècle.

Les tramways sont une révolution pour la ville : ils permettent son expansion géographique et guident l'urbanisation, qui s'étend le long des lignes dites en « doigts de gant ».

Naissance des migrations domicile-travail

Dans la ville industrielle des XIXe et XXe siècles, le travail et le logement prennent leurs distances l'un par rapport à l'autre. Nouveaux modes de vie, nouveaux déplacements, nouveaux réseaux de transport : le « banlieusard » est né.

La spécialisation des quartiers

Au cours du XIXe siècle, les fonctions économiques et sociales de la ville se diversifient, l'industrie et les activités de bureau se développent. Les quartiers de logements, d'usines, d'affaires et de commerces se séparent les uns des autres, l'espace urbanisé se spécialise.

La bourgeoisie est la première à profiter des possibilités apportées par le chemin de fer suburbain ou par le tramway pour quitter la ville. Elle va urbaniser les campagnes proches, comme celles situées autour de la ligne de Paris à Saint-Germain, le long de laquelle des quartiers résidentiels aisés sortent de terre. Pourtant, les ouvriers et une bonne part des employés de bureau n'abandonnent que très progressivement la marche pour les transports collectifs, qui sont encore trop chers.

Construction du métropolitain de Paris au début du XXe siècle : ici, la congélation des terres du lit de la Seine au niveau de la place Saint-Michel.

« Métro-boulot-dodo »
L'unité de temps du citadin actif est de 24 heures. La pièce se joue en trois actes : le métro, le boulot, le dodo. La division du travail et la spécialisation des quartiers par activité fragmentent le temps et l'espace. Le « métro » mange une grande partie du tiers-temps : le temps libre.

Des transports collectifs aux transports publics

Dans presque toutes les grandes villes, pour desservir les quartiers d'habitants pauvres ou modestes (et non seulement les quartiers riches où il existe une clientèle solvable) et pour harmoniser une offre de transport collectif souvent anarchique, les pouvoirs publics vont devoir intervenir.
À Paris, la Compagnie générale des omnibus doit se soumettre, en 1855, aux premières obligations de service public : itinéraires imposés, tarifs contrôlés. En échange, elle obtient le monopole des transports collectifs. Pour pouvoir être offerts à tous, sans distinction de rang social ou de quartier, les transports collectifs deviennent ainsi des transports publics.

La « migration alternante »

Rendu accessible à tous, le transport public est la condition du développement des banlieues lointaines, pavillonnaires, qui accueillent une part croissante de la population active. Aux États-Unis ou en Grande-Bretagne, ce mouvement d'urbanisation périphérique est même encouragé pour des raisons d'hygiène. Mais il éloigne le domicile, plus périphérique, du travail, concentré dans les ceintures industrielles et dans les centres-ville où se situent bureaux et commerces. Ainsi naît la « migration alternante » (ou « pendulaire »), aller-retour quotidien entre domicile et travail.
Dans l'agglomération parisienne, en 1901, 90 000 actifs viennent chaque jour dans Paris pour travailler. En 1931, ils sont 450 000. La vie du « banlieusard » est rythmée par un long déplacement, qui lui prend jusqu'à la moitié de son temps libre. Dans les très grandes villes, 40 à 50 % des actifs mettent de trente minutes à une heure pour se rendre à leur travail au début des années soixante.

Les transports collectifs permettent de spécialiser l'espace urbain selon ses fonctions : ceintures industrielles, centres regroupant bureaux et commerces, et banlieues-dortoirs.

Le déferlement de la voiture individuelle

Dans les pays développés, les citadins disposent, avec l'automobile, d'un moyen de transport individuel, qui se répand très rapidement dans toutes les couches de la société à partir des années cinquante. Dans la ville, elle conquiert la voirie et paralyse les transports collectifs.

« Ma lignée est née à l'orée du XXe siècle (...). Chaque semaine, nos maîtres travaillent six à sept heures pour couvrir nos frais d'adoption, d'alimentation, de soins, et ils consacrent à peu près autant de temps à nous promener. (...) J'ai longtemps été au cœur de tous les fantasmes, j'ai su me faire aimer, j'ai su apprivoiser les hommes. »
Qui suis-je ?
Jean-Pierre Orfeuil, *Je suis l'automobile*, éditions de l'Aube, 1994.

Révolution dans les ménages

L'essor de la voiture individuelle est très rapide, mais plus précoce aux États-Unis (années vingt) qu'en Europe (années soixante). En 1900, on compte 2000 voitures immatriculées à Paris, puis déjà 500000 en 1939 et 1,2 million en 1960. Toutefois, le nombre de voitures pour 100 habitants est encore à cette époque trois à quatre fois moins élevé en Europe qu'aux États-Unis. En 1955, on compte en France 5 voitures pour 100 habitants ; on en compte 50 en 1991 (et 75 aux États-Unis). La voiture devient au cours de cette dernière décennie un équipement personnel et non plus familial : la proportion de ménages français équipés de deux véhicules atteint 30 % en 1991. La voiture individuelle s'est imposée comme un équipement indispensable, au même titre que le téléphone ou la télévision. Sa conquête des familles a été rendue possible par l'élévation générale du niveau de vie durant les « Trente glorieuses », années de vive croissance économique qui ont suivi la Deuxième Guerre mondiale.

Révolution dans les réseaux

L'adoption de l'automobile pour se déplacer en ville a tenu à la construction de nombreuses routes et autoroutes de pénétration, de contournement ou de déviation, ainsi qu'à la construction de parcs de stationnement. Ces derniers accompagnent systématiquement les nouveaux immeubles de logements ou d'activité, les centres commerciaux et les places publiques au centre des villes. Mais le premier impact de l'automobile a touché le tram-

« L'auto, c'est l'objet, la chose pilote (...). Ce qui entraîne la priorité des parkings, des accès, de la voirie adéquate. Devant ce système, la ville se défend mal. Là où elle a existé, là où elle survit, on (les technocrates) est prêt à la démolir. (...) Le circuler se substitue à l'habiter. »
Henri Lefebvre, *La Vie quotidienne dans le monde moderne*, Gallimard, 1970.

way aux États-Unis et en France en particulier, où la gêne qu'il causait aux voitures a entraîné sa disparition progressive dès les années trente. En revanche, dans d'autres pays, comme en Allemagne, les reconstructions d'après-guerre ont continué de faire une place, même modeste, aux tramways.
La voiture individuelle a tout d'abord augmenté le nombre des déplacements quotidiens, dans les années soixante. Depuis cette période, elle a supplanté la marche et l'usage des deux-roues puis réduit la part des transports collectifs. Aujourd'hui, elle assure en moyenne 75 à 80 % des déplacements urbains (plus de 90 % aux États-Unis). Mais elle absorbe en contrepartie 17 % du budget annuel des ménages, presque autant que le logement (19 %) et l'alimentation (20 %).

Actuellement, l'automobile domine dans les déplacements urbains (environ 60 % en France), faisant chuter la marche et les deux-roues (près de 30 %), et stagner les transports collectifs (11 %).

Émergence du périurbain : la ville éclatée

Quand la voiture individuelle remplace les transports collectifs, le citadin se sent plus libre des horaires, des directions, bref de ses mouvements. Quant à la ville, elle éclate et s'éparpille dans la nature.

Vitesse et distance contre densité

Grâce aux réseaux routiers urbains et suburbains, la voiture individuelle permet aux citadins de se déplacer plus vite que par tout autre moyen, en moyenne à 30 km/h en Europe, à 45 km/h aux États-Unis. D'autre part, elle leur permet de se diriger dans toutes les directions. Ces deux particularités entraînent des conséquences décisives sur la forme des villes, qui changent de visage dès le milieu du XXe siècle.

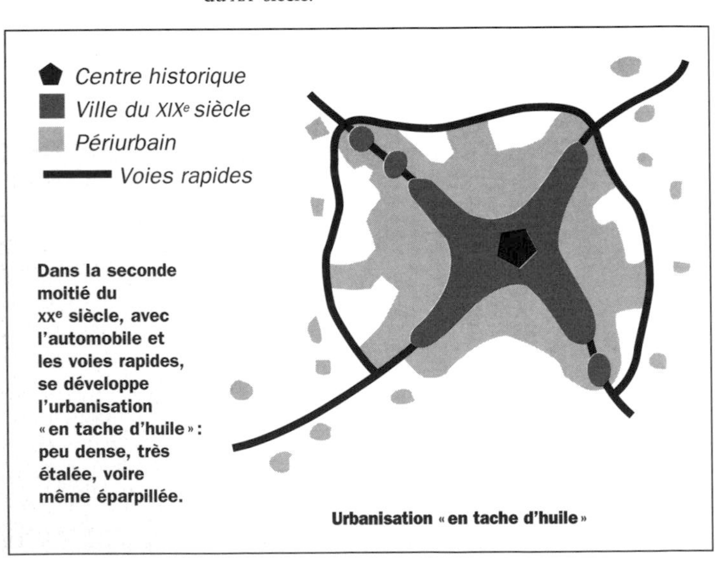

Dans la seconde moitié du XXe siècle, avec l'automobile et les voies rapides, se développe l'urbanisation « en tache d'huile » : peu dense, très étalée, voire même éparpillée.

Urbanisation « en tache d'huile »

En augmentant la vitesse de leurs déplacements, les citadins n'ont pas particulièrement cherché à se rapprocher de leur lieu de travail, ni même à se rapprocher les uns des autres. En s'installant en périphérie des villes, ils sont au contraire sortis de la ville dense sans la quitter pour autant: ils y viennent en automobile pour travailler, consommer, se cultiver ou se divertir, à tout moment et en toute commodité. Le temps gagné par la vitesse a été réinvesti dans de plus longs parcours et dans de plus faibles densités (en emplois, en logements, en nombre d'habitants au km^2).

L'automobile crée l'archipel périurbain

L'extension spatiale des villes amorcée au XIXe siècle par les transports collectifs s'est poursuivie au XXe siècle, mais elle n'a pas été concentrée le long d'axes: le périurbain* s'est étalé dans toutes les directions en «tache d'huile» (*voir* graphique). Les voies rapides ont tout de même entraîné un développement plus important du périurbain dans un rayon de quelques kilomètres autour des échangeurs. Dans les années soixante-dix et quatre-vingt, des îlots périurbains ont surgi en pleine campagne, formant un archipel nouveau au large du «vieux continent urbain» (ville-centre* et banlieues denses).

En France, en 1990, cette vaste couronne périurbaine regroupe le tiers des citadins, la banlieue et la ville-centre en englobant chacune un autre tiers.

Dans le périurbain, les citadins ont trouvé une nature plus vraie qu'en banlieue et des prix fonciers moins élevés.

Résultat: aujourd'hui en France, 54% des ménages possèdent leur logement, 56% vivent en maison individuelle, la distance qui les sépare de leur travail est de 14 km (contre 4 km en 1960), plus de 50% des ménages périurbains disposent au moins de deux voitures, chaque habitant du périurbain parcourt chaque année en moyenne 12000 km en voiture.

Mais ces dix millions de périurbains sont aussi indifférents aux transports collectifs, car ils sont dispersés dans le périurbain. Ils pensent donc ne pas en avoir besoin, ou encore n'être pas ou mal desservis en raison de leur dispersion.

Automobile et périurbanisation dans l'«archipel» de Nantes

Nantes et les 136 communes qui l'entourent ont vu croître le nombre de leurs actifs de 19% entre 1975 et 1990. Mais les actifs quittant leur commune pour travailler au-dehors ont augmenté de 57% dans la même période, et le nombre de kilomètres parcourus pour aller travailler a augmenté de 82%. Bout à bout, les Nantais font chaque matin quatre fois le tour de la Terre!

Les citadins, dont 30% vivent dans une large couronne périurbaine (10 à 40 km du centre), parcourent en moyenne 14 km pour aller travailler, 6 km pour faire leurs courses (et autant pour revenir!).

La mobilité quotidienne des citadins français

Contrairement à une idée répandue, les déplacements quotidiens n'ont pas augmenté en nombre depuis quinze ans. Sont-ils pour autant immuables ? Si leur longueur s'étend en kilomètres, leur durée demeure constante.

Sous des apparences de stabilité...

Le nombre moyen de déplacements* quotidiens par habitant est de 3,2 (en valeur absolue), sans changement notable depuis 15 ans. Le temps moyen consacré à se déplacer n'a pas non plus varié de façon significative: il reste un peu inférieur à une heure quotidienne (un peu plus dans les très grandes villes). En revanche, les distances augmentent régulièrement: 17,5 km en 1982, 23 km en 1994, soit un accroissement de 30 % en un peu plus de 10 ans. Il faut y voir un effet de l'étalement et de la spécialisation de l'espace urbain selon ses fonctions: résidence, travail, consommation, loisirs et culture.

Par voie de conséquence, d'autres caractéristiques de la mobilité* ont changé dans la même foulée. La marche et les deux-roues ont perdu beaucoup de terrain devant les modes motorisés (voitures et transports collectifs). Ils occupent tout de même une place importante: 30 % des déplacements. Mais au seuil des années quatre-vingt, la marche et les deux-roues représentaient souvent encore la moitié des déplacements.

... le système « métro-boulot-dodo » se transforme en profondeur

Ce n'est plus la marche mais la voiture particulière qui assure aujourd'hui la moitié des déplacements, et même plus: autour de 50 % en moyenne, contre 15 % pour le transport public. Ce dernier a maintenu sa part au cours de cette dernière décennie, et l'a même parfois augmentée, mais la part de la voiture particulière a connu un très vif accroissement durant la même période: +40 % entre 1980 et 1995.

Les trajets directs domicile-travail, même s'ils rythment la journée des actifs, ne constituent que 20 % des déplacements, en partie en raison de la progression de la journée continue. Les déplacements scolaires et universitaires en représentent 15 %, soit au total 35 % de déplacements réguliers et quotidiens pour la plupart. Les autres, soit 65 %, sont motivés par les achats, les visites, les loisirs. Un de ces déplacements sur cinq n'est pas relié au domicile. On est loin du si simple « métro-boulot-dodo », qui a donné le tempo de la mobilité urbaine jusqu'aux années soixante.

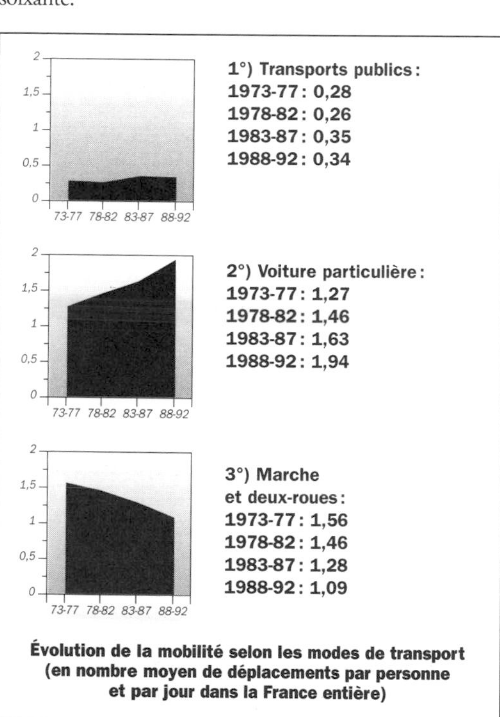

Évolution de la mobilité selon les modes de transport (en nombre moyen de déplacements par personne et par jour dans la France entière)

3,2 déplacements par personne et par jour, 55 minutes de temps de transport, 23 à 25 km/h de vitesse moyenne: telle est l'équation de la mobilité urbaine française au milieu des années quatre-vingt-dix.

Petite géographie des déplacements urbains

Les déplacements sont devenus complexes, parce que l'espace urbain est devenu lui-même complexe. Entre le centre et la périphérie, comment se répartit l'attraction exercée sur les citadins ? De la grande distance ou de la proximité, quel type de déplacement l'emporte ?

Des centres attractifs, cernés par le flux des ceintures

Les agglomérations urbaines se sont considérablement dilatées, et les lieux de résidence, de travail, de consommation et de loisirs se sont éloignés les uns des autres. Dans le centre, l'habitat a décliné, le commerce traditionnel s'est érodé ou difficilement maintenu, mais les emplois se sont développés, ainsi que les activités culturelles liées au patrimoine historique.

En périphérie, l'habitat s'est fortement accru, de même que les centres commerciaux organisés autour d'hypermarchés et de grandes surfaces spécialisées. Des emplois y sont également apparus dans des zones d'activité bien desservies par les voies rapides.

Conséquences sur les déplacements

La géographie des déplacements* en résulte tout naturellement. Au sein des agglomérations, la part des déplacements à destination ou en provenance de la ville-centre* ou internes à la ville-centre n'est pas aussi importante qu'on le croit généralement au vu des embouteillages. Elle s'établit entre 25 et 30 % des déplacements. Pour le seul motif du travail, 40 % des déplacements d'actifs sortant hors de leur commune de résidence ont pour destination la ville-centre, commune unique par

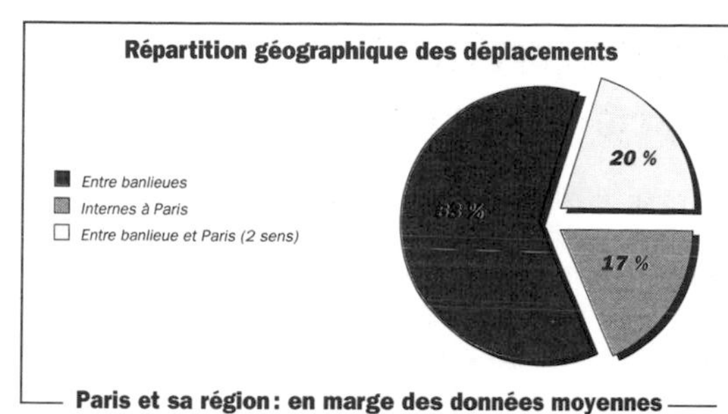

Paris et sa région: en marge des données moyennes

Dans l'agglomération de Paris, le nombre de déplacements par personne et par jour est stable depuis 15 ans: 3,5 (villes de province: 3,2 en valeur absolue). Le temps quotidien consacré à la mobilité s'élève à 1 h 20 (55 minutes en province).

définition, qui demeure donc un attracteur très puissant. Autour, les déplacements de banlieue à banlieue (70 à 75 %) connaissent de nos jours une forte croissance. Mais surtout, contrairement à ceux qui convergent vers la ville-centre, ces déplacements sont polarisés par de multiples petits foyers attractifs (zones d'activité, centres commerciaux, bases de loisirs). Le dessin des flux est devenu plus difficile à lire.

Sous le mouvement des nomades, une ville sédentaire

En valeur absolue, quels sont les ordres de grandeur de ces flux? Dans une agglomération de 400 000 habitants, comme Grenoble ou Strasbourg, les déplacements motorisés entre la périphérie et le centre (deux sens confondus) s'élèvent à plus de 200 000 chaque jour, les déplacements motorisés entre banlieues à plus de 650 000.

En outre, il ne faut pas surestimer l'importance du mouvement. D'abord, un actif sur deux en moyenne habite et travaille dans la même commune. Mais, dans les seules communes périphériques, celles que l'on appelle les communes-dortoirs, ils sont encore 35 à 40 % à y vivre et à y travailler. Ensuite, de très nombreux déplacements demeurent très courts, même s'ils sont effectués en voiture. En effet, sur 100 déplacements en automobile, 20 mesurent moins d'un kilomètre, et 40 moins de deux kilomètres. Mouvement et stabilité, grande distance et proximité se conjuguent donc pour augmenter la diversité et la complexité des déplacements urbains.

La ville-centre exerce une attraction très puissante sur l'ensemble de l'agglomération: elle est touchée par le quart des déplacements. Mais de nombreux petits pôles générateurs de trafic se sont développés en périphérie dans les années quatre-vingt.

Les usagers du transport public

Dans les années soixante-dix, l'équipement des ménages en voitures particulières a fait un bond en avant, faisant fondre du même coup la population « captive » des transports publics. Leurs usagers sont-ils aujourd'hui les derniers « captifs » ? La réalité est moins simple.

Utiliser les transports publics : une pratique largement répandue

Les citadins peuvent être classés en quatre grandes familles, selon leurs pratiques de déplacement en voiture ou en transports collectifs (on ne tient pas compte de la marche et des deux-roues).

Il y a tout d'abord ceux qui ne sont pas mobiles ou se déplacent très peu, personnes âgées ou femmes au foyer principalement. Ils représentent 12 % de la population urbaine. Tous les autres sont mobiles, quelle que soit la longueur de leurs déplacements.

Parmi eux, on trouve 62 % d'utilisateurs exclusifs de la voiture particulière, dont 8 % se déplacent tout de même, mais exceptionnellement, en transports publics (deux ou trois fois par mois). On rencontre aussi 11 % d'usagers exclusifs des transports publics, dont 4 % emploient tout de même la voiture, mais exceptionnellement.

Et enfin 15 % de citadins « mixtes », qui utilisent régulièrement au cours de la semaine les deux modes de transport, la voiture et les transports publics.

Les transports publics s'adressent donc couramment à 26 % des citadins (11 % + 15 %), et, plus épisodiquement, à encore 8 %.

Si l'on ne retient que les citadins mobiles, soit 88 sur 100, on peut considérer que les transports publics sont connus et fréquentés par 40 % des citadins qui se déplacent, même si les fréquences d'utilisation sont extrêmement variées.

Les mille et une raisons d'avoir recours aux transports publics

– Sur 100 captifs, 26 ont moins de 18 ans, 41 ne possèdent pas de voiture, 20 n'ont pas de permis, 13 ont une voiture momentanément indisponible.

– Sur 100 non-captifs, utilisateurs réguliers de leur voiture particulière, 56 ne prennent jamais les transports publics, 25 les prennent exceptionnellement et 19 régulièrement.

La tribu disparate des « captifs »

Si l'on prend place dans les autobus, les rames de métro ou de tramway, la population des usagers des transports publics est assez typée. Elle est composée d'un peu plus de femmes que ne l'est la population urbaine en général, de nettement plus de jeunes, étudiants en particulier, de plus de retraités et de personnes sans profession. Parmi les actifs, les employés sont les mieux représentés. Sont-ils tous «captifs»* pour autant? Au sein de la population urbaine, les «captifs» des transports publics forment un peu moins de la moitié: 46%. On y trouve les jeunes de moins de 18 ans, les membres de ménages sans voiture, ou bien sans voiture disponible au moment de se déplacer, et enfin les gens sans permis de conduire. En termes de trafic, toutes ces personnes représentent 82% des voyages en transports publics.

Les transports publics remplissent donc un incontestable rôle social – satisfaire les «captifs» –, mais pas seulement: près d'un voyage sur cinq est effectué par un citadin qui possède à la fois un permis, une voiture, et qui aurait pu s'en servir. Mais il a été dissuadé par les embouteillages et les difficultés de stationnement, ou bien il a été attiré par la commodité des transports publics.

Les transports publics sont utilisés plus ou moins régulièrement par près d'un citadin sur deux. À un moment ou à un autre de leur vie quotidienne, leur mobilité en dépend.

Le « partage modal » des déplacements

La voiture individuelle est devenue le mode de déplacement dominant, la véritable référence, telle une unité de mesure, à laquelle toutes les autres situations sont comparées. Certes, mais vue de plus près, la position de l'automobile par rapport aux autres modes de transport est moins exclusive.

Le temps de déplacement, facteur du choix modal

La durée d'un déplacement porte à porte en transport public, soit environ trente minutes, est en moyenne deux fois plus élevée que celle d'un déplacement en voiture individuelle. Sur les trente minutes, dix sont consacrées à se rendre à la station et à attendre le passage d'un véhicule.

Les multiples visages des besoins à satisfaire

La voiture individuelle semble avoir conquis la ville. Pourtant, la répartition entre les modes de transport – marche et deux-roues, voiture particulière et transports publics – est très variable en fonction des motifs de déplacement* et des lieux fréquentés.

D'une façon générale, les déplacements domicile-travail sont assurés par la voiture particulière pour les trois quarts, par les transports publics pour 10 % et par la marche et les deux-roues pour 15 %. La marche et les deux-roues assurent la moitié des déplacements motivés par les études, à savoir ceux des écoliers, lycéens et étudiants ; les transports publics en assurent 30 % et la voiture seulement 20 %. En raison de la proximité des écoles et du faible taux d'équipement en véhicule des jeunes de plus de 18 ans, cette répartition n'est pas étonnante.

En revanche, les déplacements occasionnés par les achats en dehors des centres commerciaux restent à proximité du domicile : la moitié d'entre eux sont pratiqués à pied ou en deux-roues, 15 % en transports publics et seulement 35 % en voiture.

Forte influence de la géographie de la ville

Dans l'espace urbain, les caractéristiques géographiques des déplacements influencent fortement le partage entre les différents modes. Les déplacements au sein de la ville-centre* sont ceux qui font le moins appel à la voiture particulière: 30 % seulement. Le terrain incontesté de la voiture se développe dans la périphérie: 60 % des déplacements qui ne touchent pas le centre sont assurés par l'automobile. En particulier, pour se rendre dans les vastes centres commerciaux de périphérie, la voiture s'impose dans 80 % des cas. Et entre la périphérie et le centre, tout dépend finalement de la taille de l'agglomération, de l'état des voies d'accès et surtout des possibilités de stationner au centre. La voiture assure autour de 65 % de ces déplacements, y compris pour le travail, mais les actifs qui ne disposent pas d'une place de stationnement ne se déplacent qu'à 44 % en voiture, au profit des transports publics, qui doublent alors leur part de marché: 36 % prennent le bus ou le tramway contre 15 % qui prennent leur voiture car ils ont une place de stationnement au centre.

Agglomération parisienne: un partage modal plus favorable aux transports publics

En raison de la taille de l'agglomération parisienne et des difficultés de circulation et de stationnement, le partage modal (hors marche) est bien différent de ce qu'il est en province:
- **voiture particulière: 65 %;**
- **transports publics: 32 %;**
- **deux-roues: 3 %.**

En province:
- **voiture particulière: 80 %;**
- **transports publics: 14 %;**
- **deux-roues: 6 %.**

Un choix limité pour les périurbains

Pour les habitants du périurbain*, le choix du mode ne se pose que rarement. Lorsque les stations de bus, métro, etc. sont trop éloignées du domicile et la fréquence de passage trop faible, l'usage du transport public se révèle dissuasif et la voiture individuelle s'impose tout naturellement. Tant pis pour les « captifs* »: ils dépendront d'un autobus rare ou attendront que le véhicule familial soit disponible.

Le partage entre les modes de transport ne fait pas vraiment l'objet d'un choix. Les transports publics sont attractifs lorsque l'usage de la voiture subit de fortes contraintes, en tête desquelles la difficulté de stationner.

Vers de nouvelles mobilités ?

Étalement urbain et primauté de l'automobile d'un côté, contraintes de circulation et opinions favorables à la modération du trafic automobile de l'autre : entre ces deux tendances contradictoires, de nouvelles pratiques de mobilité émergent-elles sur le terrain ?

Naissance du « cabotage* » urbain

Dans les banlieues et les couronnes périurbaines*, la voiture est dans son élément. Les voies sont à sa mesure et les déplacements* de courte durée.

Dans un tel contexte apparaissent des comportements dans lesquels une rationalité de l'usage de la voiture se combine à l'envie de bouger. Les chaînes de déplacements à motifs variés s'y développent, servies par la liberté et, mieux encore, par la spontanéité du moment et de la direction autorisée par la voiture individuelle. Plus du tiers des ménages pratiquent régulièrement le regroupement de déplacements, le plus souvent pour associer travail et achats, travail et école. Mais près de 10 % des ménages pratiquent aussi des détours sans motif précis : la consommation vient en roulant…

Dans ce domaine précis, six ménages sur dix fréquentent à la fois plusieurs grandes surfaces, mais pour la plus grande part d'entre eux (70 %), ce n'est pas pour comparer prix ou produits, mais pour satisfaire l'envie du changement. Le lèche-vitrine périurbain se pratique à travers les vitres des voitures.

« Les avantages de l'automobile sont ceux auxquels les usagers sont le plus sensibles (d'autant qu'ils sous-estiment son coût). Ceux des transports en commun sont ceux qui importent à la collectivité. Contrairement au credo libéral, l'intérêt collectif n'est donc pas la somme des intérêts particuliers. »
Pierre Merlin, *Les Transports urbains*, collection « Que sais-je ? », PUF, 1992.

Environnement urbain : changer les mentalités ?

Le développement des pratiques de « cabotage » n'empêche pas l'évolution des opinions relatives à la mobilité urbaine. Les embouteillages, l'inconfort de l'espace public, sa dangerosité, la pollution de l'air et ses effets soupçonnés sur la santé, les interrogations quant à l'effet de serre (*voir* pp. 46-47), tout un faisceau d'opinions converge pour modifier le point de vue des citadins sur leur environnement. C'est ainsi que plus de 70 % d'entre eux se déclarent d'accord avec l'idée selon laquelle il serait souhaitable de réduire l'usage de la voiture en ville.

Usagers des transports publics : une multimodalité d'avance ?

Sur 100 habitués des transports publics :
– 44 pratiquent également la marche et utilisent la voiture de façon régulière ;
– 36 la marche seulement ;
– 12 la voiture particulière ;
– 8 ne prennent rien d'autre que les transports publics.

Voiture et transport public : des volontaires pour alterner

Qu'en est-il des pratiques réelles? La multimodalité* caractérise les utilisateurs de plusieurs modes de déplacement. Elle est souvent due aux contraintes qui pèsent sur l'usage de la voiture. Mais on trouve parmi les multimodaux une catégorie de volontaires, environ 20 %, qui disposent du permis de conduire, d'un véhicule, et qui ont fait le choix d'utiliser les transports publics en alternance avec la voiture particulière, principalement pour les déplacements en direction du centre. Dans l'ensemble de la population, ils représentent 7 % des citadins, c'est-à-dire autant que ceux qui n'empruntent jamais aucun autre mode que le transport public.

***Ci-dessous* : une rue de Marseille, où l'automobile est omniprésente.**

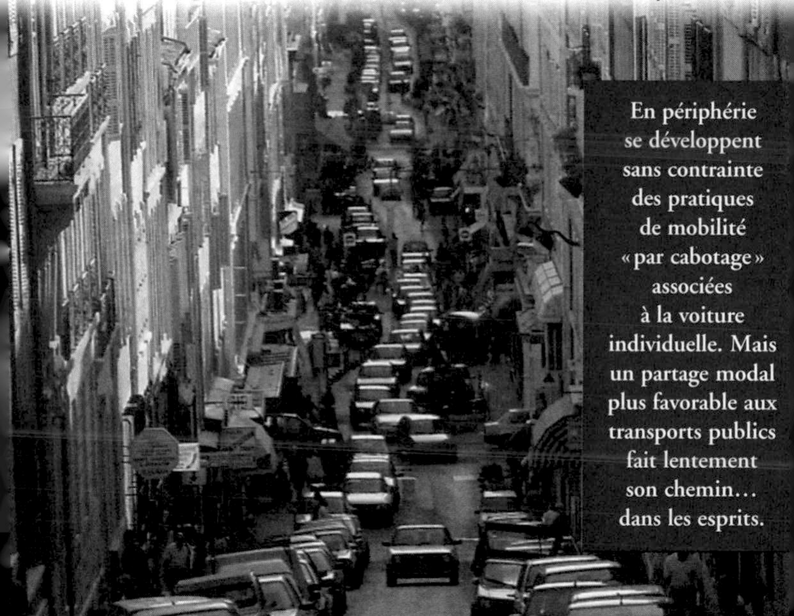

En périphérie se développent sans contrainte des pratiques de mobilité « par cabotage » associées à la voiture individuelle. Mais un partage modal plus favorable aux transports publics fait lentement son chemin… dans les esprits.

Les autorités organisatrices de transport

Pour organiser les transports en commun, on peut laisser faire les entreprises privées, à leurs risques et périls, mais aussi à leur prix. Malheur alors aux clientèles non solvables. Mais dans beaucoup de pays, les autorités d'État font du transport en commun un service public. C'est le cas de la France.

Le transport public : un enjeu politique

- **À Grenoble, c'est un référendum qui a validé le projet de construction de la première ligne de tramway ouverte en 1987.**
- **À Brest, c'est un référendum qui a, au contraire, rangé dans les cartons le projet de tramway.**
- **À Strasbourg, en 1989, le changement de majorité à la mairie met fin au projet de métro automatique léger (Val, véhicule automatique léger), au profit d'une ligne de tramway (photo *ci-dessous*).**
- **En 1995, à Nantes et à Strasbourg, les élus porteurs de projets de tramway sont confortablement réélus au premier tour, en grande partie grâce à la réussite de leur entreprise.**

La loi d'orientation pour les transports intérieurs

C'est aux communes (ou à des regroupements de communes), appelées autorités organisatrices (AO dans le langage des professionnels), que revient la responsabilité d'organiser les transports publics urbains, dans le cadre d'une loi de 1982, la Loti (Loi d'orientation pour les transports intérieurs). Cette dernière pose le principe du droit au transport pour tous, le principe du libre choix de l'usager entre différents modes de transport, et réaffirme la mission de service public des transports collectifs urbains.

Un terrain privilégié pour la coopération intercommunale

En France, les communes sont de petite taille et les agglomérations s'étendent en général sur plusieurs communes. C'est pourquoi seulement le quart des autorités organisatrices sont des communes uniques. Les autres sont essentiellement constituées par des regroupements de communes tels que les prévoit la loi : communautés

urbaines ou districts pour les plus grandes villes, syndicats intercommunaux et communautés de communes et de villes. Les transports publics urbains constituent donc l'un des domaines privilégiés de la coopération intercommunale, à côté des secteurs de l'eau et des déchets.
Outre la contribution financière directe des communes, les AO disposent d'une ressource fiscale payée par les employeurs. Cette ressource est spécialement affectée au transport public: c'est le versement-transport.

Qu'est-ce que le GART ?
Le Groupement des autorités responsables de transport (GART) est une association créée en France en 1980. Elle regroupe plus de 150 villes et agglomérations, 26 départements et 9 régions. Ses objectifs consistent à promouvoir les transports publics, à sensibiliser l'opinion publique, à faciliter l'échange d'informations et le dialogue entre tous les partenaires impliqués.

Les responsabilités étendues des AO

Le rôle des AO est décisif. Elles fixent les tarifs du transport dans la limite du plafond fixé chaque année par l'État. Bien plus, elles définissent les grandes orientations des politiques de déplacement* et de transport; elles décident également des investissements, comme par exemple pour la construction d'une ligne de métro ou de tramway, ou encore pour l'achat de matériel roulant.
L'exploitation des réseaux de transport public urbain est généralement confiée à des entreprises privées, ce qui donne ainsi lieu à une délégation* de service public pour plus de 90 % des AO. Sinon, les réseaux sont exploités directement par les collectivités, sous le régime de la régie directe, le plus souvent dans les petites villes, ainsi qu'à Marseille.

La délégation de service public

Elle se présente sous des formes variées: soit les entreprises privées sont simplement rémunérées pour une prestation de service, tout en étant souvent intéressées aux résultats, soit elles supportent le risque commercial, l'autorité organisatrice versant une contribution forfaitaire qui assure l'équilibre prévisionnel d'exploitation. Dans tous les cas, les AO négocient les contrats de concession et veillent à leur bonne exécution.
Elles ont donc dû se doter d'une capacité d'expertise qui leur permette à la fois de prendre des décisions et de contrôler, au mieux de l'intérêt des contribuables, les aspects financiers, techniques et commerciaux de la délégation de service public. Car les usagers sont tout à la fois citoyens, contribuables et électeurs.

Les communes, regroupées ou non, sont les « autorités organisatrices » du transport public urbain. Elles perçoivent un impôt local versé par les entreprises, elles fixent les tarifs et décident des investissements.

Les exploitants du transport public

En France, le transport collectif urbain est un service public. Cela ne l'empêche pas d'être exploité par des entreprises privées qui ont passé un contrat de concession avec les communes, autorités organisatrices.

Qu'est-ce que l'UTP ?
L'Union des transports publics (UTP) est un syndicat professionnel qui regroupe 160 entreprises de transport public urbain de voyageurs. Il a pour mission la représentation de la profession, la promotion du transport public, la coopération avec les industriels, les élus et les usagers.

Qui est « AGIR » ?
« AGIR pour le transport public » est une association loi 1901 qui a pour but de regrouper les réseaux d'exploitation indépendants, ceux qui ne font pas partie des grands groupes, afin de mettre en commun leurs expériences et leurs savoir-faire.

Des entreprises privées assurent le service public

La responsabilité juridique d'organiser les transports publics urbains revient aux autorités organisatrices (*voir* pp. 24-25). Elle est de nature politique. En revanche, l'exploitation technique des réseaux est très largement le fait d'entreprises du secteur privé, auxquelles le service public a été délégué* par les collectivités locales. Près de 70 % des réseaux sont exploités par des sociétés entièrement privées, 20 % par des sociétés d'économie mixte (SEM), dans lesquelles capital public et capital privé sont mêlés. Seuls 10 % des réseaux sont exploités directement par les collectivités.

Une activité très concentrée

En général, ces entreprises privées qui exploitent les réseaux ne sont elles-mêmes pas indépendantes. Trois groupes majeurs se partagent en effet plus de 70 % du marché des transports urbains : Via Transport (35 % des réseaux), Transcet (18 %) et CGEA-CGFTE (18 %). S'y ajoutent la RATP (Régie autonome des transports parisiens) et la SNCF (Société nationale des chemins de fer français) en Île-de-France (*voir* pp. 34-35).

Via Transport est un groupe lui-même filiale de la Compagnie de navigation mixte. Transcet fait partie de la Caisse des dépôts, holding* public. Enfin, CGEA-CGFTE appartient à la Compagnie générale des eaux. Ces deux derniers groupes s'inscrivent donc dans des ensembles d'entreprises spécialisées dans la prestation de services urbains, allant de la propreté et de la fourniture de l'eau à l'ingénierie, la construction d'infrastructures et l'urbanisme.

Le transport public : un employeur
En France, en 1995, près de 73 000 actifs travaillent dans les réseaux de transport public urbain, auxquels s'ajoutent les agents de la SNCF au service de la banlieue parisienne. Le personnel « roulant » représente près de 70 % des effectifs. En province, depuis dix ans, les réseaux ont embauché 15 000 salariés (+1 % par an), dont 4 000 par création d'emplois nouveaux et 11 000 par renouvellement. En outre, les entreprises de transport public urbain sont engagées dans les politiques publiques de solidarité sociale, en formant et en embauchant des personnes en difficulté d'insertion.

De l'usager au client

Les savoir-faire des exploitants de réseau dépassent la simple gestion des flottes de véhicules. Ils s'étendent à l'expertise technique, à l'expérimentation de nouveaux systèmes techniques, à la construction d'équipements lourds ainsi qu'au marketing, ce qui semble inattendu, à première vue, dans une activité de service public. En effet, dans le domaine commercial, cette dernière décennie a été marquée par un profond changement de comportement à l'égard de l'usager, qui est devenu également un client. La démarche des entreprises privées qui exploitent les réseaux, issue des pratiques du secteur privé appliquées au service public, a été en phase avec l'évolution des modes de vie et de consommation. Elle était destinée à développer une clientèle qui disposait par ailleurs, avec la voiture particulière, d'un moyen de transport concurrent du transport public. Cette démarche a changé l'image des transports publics, en améliorant la présentation des matériels et la qualité des services.

En 1995, les femmes occupant des postes clés dans les entreprises de transport public sont encore très peu nombreuses. Elles sont davantage présentes dans les services fonctionnels que dans les services opérationnels.

Des entreprises du secteur privé exploitent les transports publics. Elles font souvent partie de grands groupes prestataires de services urbains variés : eau, propreté, travaux publics, urbanisme.

Une branche de l'activité industrielle

D'une manière générale, les transports publics urbains occupent moins de place sur la voirie que les automobiles. Mais il ne faut pas en conclure que l'activité industrielle liée aux transports collectifs soit marginale. Elle constitue en effet un domaine très actif de la recherche technologique, en particulier dans les automatismes.

TVR de Caen: un montage complexe

L'autorité organisatrice* de l'agglomération de Caen regroupe dix-sept communes. En 1995, elle concède un projet de tramway sur pneus à la STVR, Société concessionnaire du transport sur voie réservée. La STVR est composée de Spie-Batignolles, qui pilote le projet et construit l'infrastructure, ainsi que de Bombardier-Eurorail et sa filiale ANF-Industrie, qui fabriquent le matériel. Ensuite, il est prévu que la STVR exploite le TVR suivant un contrat de concession de service public. Le Crédit agricole est la banque partenaire. L'ingénierie est assurée pour partie par la Sofrétu.

De grands groupes constructeurs

La production de matériel de transports publics urbains mobilise les activités de très grands groupes industriels, ainsi que celles de nombreuses entreprises, petites et moyennes, en particulier dans la sous-traitance.

– En France, GEC-Alsthom, qui conçoit et fabrique le TGV, construit aussi le tramway qui équipe plusieurs villes françaises. Le groupe a également construit un véhicule de métro sur quatre dans le monde. La division Transport d'Alsthom emploie 18000 personnes dans cinq pays européens, ses matériels équipent les métros de Londres, New York, San Francisco, Atlanta et Hongkong.

– Le métro automatique léger (Val, véhicule automatique léger), qui équipe Lille, Toulouse et l'aéroport d'Orly, mais aussi Taipei (Taïwan) est conçu et en partie fabriqué par Matra, spécialiste des automatismes.

– Les autobus qui équipent les réseaux français sont souvent fournis par Renault-véhicules industriels (RVI), Heuliez.

Les travaux publics et le bâtiment sont impliqués dans la construction de l'infrastructure des transports publics, comme Spie-Enertrans, filiale de Spie-Batignolles, qui construit les installations électriques, Bouygues, spécialisé dans les ouvrages d'art, ou encore GTM, spécialiste des ouvrages souterrains.

Qui fait quoi ?

– Tramways de Grenoble, Nantes, Rouen, Saint-Étienne, Saint-Denis : GEC-Alsthom.
– Val de Lille, Orly, Toulouse : Matra. Le Val est un métro automatique de petit gabarit.
– Tramway de Strasbourg : ABB.
– SK de Roissy : Soulé (France, spécialiste de matériel ferroviaire de petit gabarit). Le SK est un système de transport par cabines tractées par câble.
– Poma 2 000 de Laon : Poma (France, spécialiste de téléphériques). Poma est un funiculaire.
– TVR de Caen (en projet) : Bombardier-Eurorail. Le TVR est un tramway sur pneus, guidé par un rail central (*voir* pp. 42-43).

Concurrence internationale

Mais la concurrence est vive avec plusieurs groupes d'envergure internationale, parmi lesquels on trouve l'allemand Mercedes ou le belge Van Hool pour les autobus, un autre allemand, Siemens, qui fabrique des métros légers, le suisso-suédois ABB, groupe mondial implanté dans de nombreux pays, qui a construit le matériel du tramway de Strasbourg, ou encore le canadien Bombardier-Eurorail, également installé dans cinq pays européens.

Sur le terrain, complémentarité et coopération

Entre ces grandes entreprises, les filiales communes ou les « *joint-ventures* » (associations) ne sont pas rares, pour développer un produit spécifique ou conquérir un segment particulier du marché des transports publics.

Les grands chantiers donnent lieu à des montages financiers et techniques complexes, dans lesquels les entreprises sont non seulement associées entre elles, mais aussi partenaires des autorités organisatrices de transport, c'est-à-dire des collectivités (*voir* pp. 24-25) ; ces chantiers sont de plus financés par des banques. De grands bureaux d'étude et d'ingénierie comme la Systra-Sofrétu (Société française d'étude et de réalisation de transports urbains) interviennent comme experts auprès des collectivités, en France comme à l'étranger. La Systra-Sofrétu a contribué à la conception des métros de Mexico, de Montréal et du Caire.

La production industrielle destinée aux transports collectifs donne lieu à une vive concurrence entre des groupes de dimension internationale comme Bombardier, GEC-Alsthom ou Siemens.

L'offre de transport public

En moyenne statistique, dans chaque kilomètre carré de ville, on peut suivre 1,5 km de ligne de transport public, attendre dans dix Abribus (cinq dans chaque sens) le croisement de deux bus toutes les vingt minutes. Pour l'ensemble des villes françaises, cela fait presque un milliard de kilomètres parcourus par an !

Dix ans de déploiement de l'offre

En 1995, les transports publics urbains ont assuré un peu plus de 4 milliards de voyages, dont 45 % en province et le reste en Île-de-France (*voir* pp. 34-35). Pour assurer ces voyages, les véhicules ont parcouru 952 millions de kilomètres le long de 29 000 km de lignes. L'offre de transport, mesurée par le nombre de kilomètres parcourus par les véhicules, n'a cessé de croître au cours de la dernière décennie : +18 % entre 1985 et 1995. Mais il faut tenir compte de l'évolution démographique et du « périmètre de transports urbains » (PTU) qui désigne l'ensemble des communes desservies.

Rapportée au nombre d'habitants en France, l'offre de transport s'est intensifiée : en 1995, on compte 28 kilomètres parcourus par habitant et par an, contre 24,5 en 1985 (+14 %). L'offre s'est aussi rapprochée des citadins : le nombre de kilomètres de ligne par kilomètre carré desservi – qui exprime le maillage du réseau de lignes – est passé de 1,2 à 1,5 en dix ans (+25 %), alors que le nombre de communes périurbaines* composant les PTU a augmenté.

Gains de productivité dans le transport public

La productivité des réseaux d'exploitation des transports publics est mesurée par le nombre de kilomètres parcourus par employé de l'entreprise au cours de l'année. Elle s'établit à 13 100 km en 1995, en progression de 10 % par rapport à 1985. Elle doit beaucoup aux aménagements de voirie et en particulier aux « sites propres* », qui permettent d'augmenter la vitesse commerciale*.

L'espace urbain contre le transport public

Mais l'augmentation – un peu moins rapide – des kilomètres parcourus s'est traduite par une sensible détérioration du nombre de passages : il y avait 67 passages par kilomètre de ligne et par jour en 1985, il n'y en a plus que 46 en 1995 (–30 %). Cette dégradation est surtout sensible dans les périphéries, qui n'ont pas de troncs communs* à plusieurs

lignes, contrairement au centre des villes. Paradoxalement, en suivant l'urbanisation dans la périphérie des villes, en développant le parc de matériel roulant, en augmentant la longueur des lignes et le nombre de kilomètres parcourus, c'est-à-dire en améliorant les conditions de l'offre, les transports publics ont fait baisser une caractéristique particulièrement importante pour les usagers : la fréquence.

Depuis 1992, le tramway Bobigny – Saint-Denis répond, en « site propre », aux besoins de déplacements interbanlieues.

Usage des transports publics : croissance ou stagnation ?

Ce contexte géographique est d'autant plus handicapant pour les transports publics qu'il faut y ajouter l'équipement généralisé des citadins en voitures particulières. Toutefois, l'évolution du volume de trafic enregistré doit être considérée comme une performance. L'usage des transports publics est en effet passé de 86 à 94 voyages par habitant et par an de 1985 à 1995 (+10%). Mais la croissance est concentrée sur le début de la période. Depuis 1990, bon an mal an, l'usage piétine.

Une offre stimulée

La mise en service de « sites propres » (*voir* pp. 38-39) au cours des dix dernières années, avec métros et tramways, a dopé l'offre sur l'ensemble du réseau. Les kilomètres parcourus ont crû en moyenne de 10 à 40% dans les villes concernées : 30% à Strasbourg et 14% à Rouen par exemple, à l'occasion de l'arrivée du tramway en 1995.

En France, les véhicules de transport public parcourent environ 950 millions de kilomètres par an pour satisfaire plus de 4 milliards de voyages. Mais la périurbanisation, qui dilue la population à desservir, bride l'efficacité du service.

Le financement des transports publics

En moyenne, un voyage revient à 8 F. Et, compte tenu des différentes réductions, l'usager acquitte 3 F. Déficit ? Pas vraiment. Cette notion n'a pas beaucoup de sens, car il s'agit d'un service public donnant lieu à des tarifs sociaux. De plus, de nombreux bénéficiaires indirects, non-usagers des transports publics, contribuent à leur financement par le biais des impôts locaux.

Financement des transports publics de province en 1994
– Versement-transport : 8,2 milliards de francs.
– Contribution des collectivités : 8,3 milliards de francs.
– Recettes commerciales : 5,3 milliards de francs.
– Contribution de l'État : 0,5 milliard de francs.
Total : 22,3 milliards de francs.

50 milliards de francs par an

Le financement des transports publics urbains demande plus de 50 milliards de francs par an, en additionnant les investissements et les coûts de fonctionnement. Il est assuré par plusieurs contributions : hors Île-de-France, région placée sous statut particulier, les collectivités locales assurent 37 % du financement, les usagers 24 %, l'État 2 % (destinés aux seuls investissements), les entreprises 37 % sous la forme d'un impôt local, le versement-transport, dont le montant dépend des salaires versés par les entreprises.

Le versement-transport : une ressource spécifique

Le versement-transport a été institué en 1971 en région parisienne, puis étendu depuis par étapes aux autorités organisatrices (*voir* pp. 24-25) de province de plus de 20 000 habitants qui le souhaitaient. Il est versé par les entreprises (0,7 % du total de leurs prélèvements fiscaux), dans la mesure où

elles font partie des bénéficiaires des transports publics, qui véhiculent une partie de leurs employés (c'est vrai surtout dans les très grandes villes).
Cette contribution a permis de faire baisser la part payée par les collectivités, sollicitées par de nombreux autres domaines d'intervention, tandis que l'État s'est progressivement désengagé. Le versement-transport a également permis le renouvellement des matériels et la création des grandes infrastructures de transport public, tramways et métros par exemple.

Combien coûte en moyenne...
– un billet à l'unité ? 6 F ;
– un billet en carnet de 10 ? 4,40 F ;
– un abonnement mensuel ? 160 F ;
– la contribution fiscale annuelle par habitant ? 213 F.

Importance des tarifs sociaux

La part des usagers dans le financement des transports publics peut paraître faible. Elle représente en moyenne le quart du coût total, qui comprend le coût de fonctionnement et le coût d'investissement. Les recettes commerciales sont en effet limitées pour plusieurs raisons. Le prix payé par l'usager est volontairement inférieur au coût du service, parce qu'il entre dans le cadre de la mission de service public du transport urbain et prend place dans les politiques sociales des villes. De nombreux tarifs spéciaux, voire la gratuité totale, sont pratiqués par 80 % des réseaux. Ils sont réservés aux personnes âgées, aux familles peu fortunées, aux jeunes, aux chômeurs. La gratuité totale représente en moyenne presque un voyage sur cinq en France.

Bénéficiaires indirects

D'autre part, les transports publics ont de nombreux bénéficiaires indirects, qui ne contribuent pas directement à les financer : bénéficiaires de plus-values immobilières à proximité des lignes de métro, commerçants, automobilistes dont les conditions de circulation sont d'autant plus facilitées qu'une part élevée des déplacements* est assurée par les transports publics. Leur contribution indirecte se fait par l'intermédiaire des collectivités, qui perçoivent les impôts locaux.

Les usagers, les collectivités locales et les entreprises cofinancent les transports publics. L'État apporte son aide aux investissements. Les réductions ou la gratuité concernent près de 20 % des voyages.

L'Île-de-France : un cas à part

Les transports publics de la région parisienne ont une autorité organisatrice géante : le STP. Sa compétence embrasse toute l'Île-de-France, à savoir un Français sur cinq. La RATP, la SNCF et quatre-vingts entreprises privées y « produisent » 45 % des kilomètres parcourus par l'ensemble des transports publics français.

Le réseau d'Île-de-France en chiffres

Le réseau comprend 200 km de lignes de métro, 400 km de Réseau express régional (RER), 900 km de lignes de banlieue, 10 km de lignes de tramway et 14 000 km de lignes d'autobus. Sur le réseau de la RATP circulent près de 8 500 véhicules qui effectuent 400 millions de kilomètres par an, à rapprocher des 530 millions parcourus dans l'ensemble des villes de province.

Le STP : une autorité organisatrice originale...

Le Syndicat des transports parisiens (STP) est l'autorité organisatrice* de l'agglomération parisienne depuis 1959. Par rapport aux villes de province, son statut juridique est particulier, dans la mesure où l'État y joue un grand rôle. Son Conseil est en effet composé, à parité, de représentants de l'État et des départements. Son président est le préfet de région. Les attributions du STP consistent à coordonner les activités de la RATP (Régie autonome des transports parisiens), de la SNCF (Société nationale des chemins de fer français) – 90 % du trafic à elles deux – et des entreprises privées qui interviennent en périphérie. Il fixe les tarifs, gère le système de la Carte orange (*voir* ci-contre à droite) et la contribution fiscale des entreprises au transport public, le versement-transport (*voir* pp. 32-33). Le STP a également pour mission de mettre en œuvre les politiques d'investissements lourds, dont le financement est assuré à 30 % par l'État, à 50 % par la Région (les 20 % qui restent sont pris en charge par les entreprises de transport, RATP et SNCF notamment).

... à l'échelle du « périmètre de transport »

Le STP est compétent sur l'ensemble du territoire de l'Île-de-France depuis 1991. Sa responsabilité s'étend donc à 10,6 millions d'habitants, 1 300 communes et 12 000 km^2.

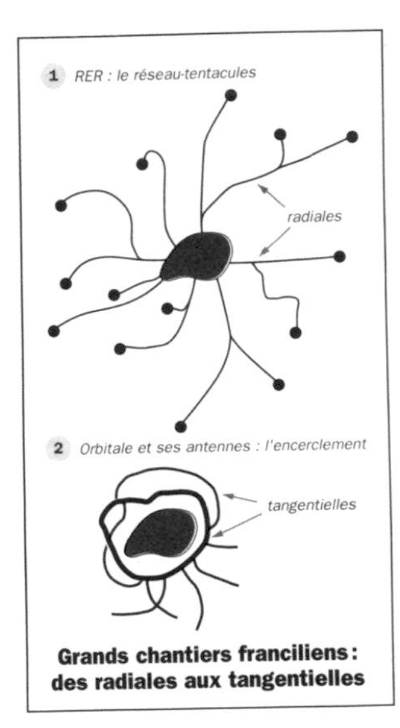

Grands chantiers franciliens: des radiales aux tangentielles

Les dépenses de fonctionnement sont à la taille du « périmètre de transport » (*voir* pp. 30-31): plus de 30 milliards de francs par an, plus que les dépenses pour la totalité des réseaux de province. Les investissements destinés aux seules infrastructures ferroviaires, RER (Réseau express régional), métro et chemin de fer, s'élèvent en moyenne à 2 milliards de francs par an.

La Carte orange
En Île-de-France, la Carte orange, valable pour une ou plusieurs zones autour de Paris, permet de circuler sur le réseau de transport public. Sa particularité: la moitié du prix payé par un usager lui est remboursée par son employeur. Cette mesure est destinée à encourager l'usage des transports publics.

Gros trafics, grands chantiers

Depuis le début des années soixante, les investissements se sont inscrits dans ce cadre. Le RER a été construit par étapes à partir de 1962; plusieurs lignes de métro ont été prolongées dans la proche banlieue; une ligne de métro automatique appelée Météor (*voir* pp. 40-41) est en construction, pour créer dans Paris une ligne parallèle au tronçon central de la ligne A du RER. On installe aussi, plus au nord, une connexion ferroviaire, Éole, entre la gare de l'Est et la gare Saint-Lazare.

Toutes ces lignes ont en commun d'être des radiales* qui convergent vers le centre. Mais les grands projets d'investissements reposent sur un concept différent: développer en petite couronne des lignes de rocade, des tangentielles*, pour « faire le tour » de banlieue en banlieue. La construction d'une longue ligne de rocade desservie par métro automatique Orbitale (*voir* graphique), est donc prévue par étapes. C'est un chantier aussi important que celui du RER qui s'ouvre aujourd'hui. Il s'élèverait au total à 50 milliards de francs.

Le Syndicat des transports parisiens, l'autorité organisatrice des transports publics en Île-de-France, a un statut différent des autres autorités organisatrices du pays: l'État et les départements y siègent à parité. Les investissements y sont financés en grande partie par l'État et la Région.

Innover contre les handicaps du transport public

La forme des villes, étalées et peu denses, les modes de vie urbains, qui privilégient la mobilité individuelle et son instrument, l'automobile, l'espace public dévoré par les voitures : tout concourt à brider l'efficacité des transports publics. Quel recours trouver alors dans les techniques ?

Lenteur, irrégularité, inconfort : les handicaps à surmonter

Par définition, les véhicules de transport public qui circulent en surface s'arrêtent souvent, et on les attend pour les emprunter. À certaines heures ou sur certaines lignes, leur capacité est insuffisante et les passagers y restent debout et serrés. Et ils sont, de surcroît, encore ralentis par la circulation automobile. Leur lenteur et leur irrégularité de passage aux arrêts les rendent peu attractifs par rapport à la voiture individuelle. Le temps perdu dans les encombrements entraîne des coûts car il faut fournir des véhicules et des conducteurs supplémentaires : en effet, de nouveaux autobus doivent alors être mis en service aux terminus pour respecter les fréquences de circulation annoncées au public. Ce qui se traduit par des dépenses en plus ou par le fait que des autobus ne vont pas desservir d'autres quartiers.

SAE et SAI

Les systèmes d'aide à l'exploitation (SAE) et à l'information (SAI) sont fondés sur la connaissance exacte, en temps réel, de la position des véhicules de transports publics le long des lignes et de l'état de la circulation générale, grâce à des capteurs noyés dans les chaussées ou, plus récemment, au repérage par satellite. En cas de problème, un opérateur central peut informer et intervenir.

Inventer pour fluidifier

Les contraintes qui pèsent sur la voiture individuelle sont en général vécues avec plus d'indulgence, d'autant plus que les techniques déployées pour améliorer la fluidité de la circulation routière urbaine laissent espérer de meilleurs performances : voies de contournement, carrefours dénivelés, parcs de stationnement souterrain à proximité immédiate des lieux fréquentés, guidage des véhicules vers les parcs, systèmes informatisés de gestion des feux tricolores…

Tout ce qui favorise la fluidité de la circulation générale rend service aux transports publics en réduisant les effets des embouteillages sur leur vitesse commerciale*. Mais celle-ci demeure tout de même inférieure (environ 15 km/h) à celle de la voiture (autour de 25 km/h).

Champ d'innovations

Cela n'est donc pas suffisant pour compenser les handicaps du transport en commun, restaurer son image en même temps que ses performances comme outil destiné à faciliter la mobilité. En conséquence, une gamme d'innovations spécifiques est venue au secours de la qualité du service: suivi des véhicules en temps réel, qui permet d'augmenter leur régularité et d'informer les voyageurs en cas de perturbation, priorité de départ aux feux, points d'arrêt aménagés, informations par écran de télévision sur les temps d'attente aux stations, couloirs réservés aux autobus dans les rues les plus larges, ou sites consacrés entièrement aux transports publics.

Le panneau d'affichage électromagnétique: un outil permettant de fournir toutes sortes d'informations utiles à l'usager des transports publics.

> La circulation automobile gêne les transports publics, augmentant leur coût d'exploitation et leur faisant perdr des passagers. Une gamme de systèmes d'aid à l'exploitation a pour but de les rendre plus rapides et plus réguliers.

Le « site propre », clef de l'efficacité

Pour que les transports publics se révèlent aux citadins, ils doivent devenir des transports littéralement « hors du commun ». C'est-à-dire s'extraire de la foule des automobiles et disposer de leur propre part de l'espace public… Bref, circuler en « site propre ».

Combien coûte un « site propre » ? (infrastructure seule)
– Métro (petit gabarit) : 110 millions de francs/km ;
– tramway : 70 millions de francs/km ;
– « site propre routier » : 40 millions de francs/km.

Il accroît les performances

Le principe du « site propre » (*voir* encadré) consiste à séparer les transports publics de la circulation automobile en leur construisant une infrastructure particulière ou en leur réservant une partie de l'espace public. Le métro, souterrain ou sur viaduc, constitue le « site propre » intégral le plus connu et le plus ancien. Mais en surface, dans les rues de la ville, le « site propre » peut accueillir le tramway et, tout simplement, l'autobus.
Les avantages du « site propre » sont considérables. L'exploitation du système de transport public n'est plus tributaire de la circulation générale, ce qui augmente nettement son efficacité. La vitesse commerciale*

Il y a « site propre » et « site propre »

Le « site propre », que les professionnels appellent TCSP (transport en commun en site propre), constitue une véritable famille : le métro est un « site propre intégral », dans son tunnel ou sur viaduc. Le tramway ou l'autobus, qui roule dans des rues où il est totalement séparé des voitures et des piétons, se trouve en « site propre de surface ». Il peut se mouvoir au milieu des piétons et des vélos dans les rues piétonnes : il est alors en « site partagé » ou en voie mixte piétons-tramway ou piétons-bus. Enfin, une voie spécialement réservée aux autobus et bien séparée des voitures est un « site propre routier ».

est plus élevée (elle peut être augmentée de 30 à 70 %, et passer par exemple de 15 à 20 km/h), de même que la régularité, la fréquence et la capacité. Pour l'usager, cela signifie moins d'attente et plus de confort. Pour le citadin, le transport public s'inscrit pleinement dans l'espace public. Pour l'exploitant, le matériel étant géré de façon optimale, ce sont autant d'économies sur les coûts de production du service.

Il change le visage de la rue

Mais l'impact du « site propre » de surface dépasse le seul intérêt de l'usager et de l'exploitant.

C'est tout l'espace public qui se trouve transformé par son irruption, car il prend de la place à la voiture particulière. Il fournit l'occasion, voire impose l'obligation, de redistribuer l'espace public entre ses différents usagers, de concevoir des plans de circulation et de stationnement qui adaptent la voiture à la ville – et non l'inverse, comme c'est trop souvent la tendance.

Sur les « sites propres » de surface, le transport public ne chasse pas les piétons de l'endroit où il roule, contrairement aux voitures. On peut traverser la rue malgré les rails, sans danger. On peut aussi laisser évoluer ensemble, sur des espaces partagés, piétons, cyclistes, bus et autres tramways.

« Site propre routier » et coûts d'exploitation

En augmentant la vitesse commerciale de 1 km/h, on entraîne une réduction du coût de fonctionnement du réseau de 6 %. La mise en service d'un « site propre » de 0,5 à 1,5 km engendre, dans un réseau de province, une économie annuelle de 0,8 à 2 millions de francs.

Le « site propre » isole le transport public de la circulation automobile. Les « sites propres » de rue restent pourtant compatibles avec les activités des autres usagers de l'espace public piétons et cyclistes notamment.

Tramways et métros : le nouvel âge

Les tramways, dès le XIXe siècle, suivis de près par les métros, ont été les premiers engins lourds à peupler la surface des rues, à creuser leurs fondations ou à circuler bruyamment par-dessus les carrefours. Mais ces vieilles technologies accueillent les innovations d'aujourd'hui à bras ouverts.

En France, un retour remarqué

– Les métros équipent 80 agglomérations dans le monde, dont 55 % en Europe, 25 % en Asie, 20 % en tout dans les deux Amériques et en Afrique. Leurs lignes totalisent 5 000 km. En France, outre Paris, quatre villes disposent du métro : Lyon, Marseille, Lille et Toulouse. Mais, à l'exception de Paris, il s'agit de créations récentes : on ne comptait que 26 km de lignes en 1973, il y en aura plus de 200 en l'an 2000.

– Le tramway, également appelé « métro léger », est présent dans 330 agglomérations dans le monde, dont 80 % en Europe. La longueur totale de lignes atteint 13 500 km. En France, il circule dans sept villes dont Lille, Saint-Étienne et Marseille, où des lignes anciennes ont survécu à la disparition quasi générale du tramway entre 1930 et 1950. Il a été reconstruit en « site propre* », dans un contexte de réaménagement ambitieux de l'espace public, à Nantes (2 lignes), Grenoble (2 lignes), Strasbourg (1 ligne), Rouen (1 ligne), et bientôt à Montpellier, Valenciennes, Orléans et Clermont-Ferrand (*voir* pp. 56-57). Et il a fait sa réapparition en Île-de-France avec deux lignes dans les banlieues nord et ouest.

« Le tramway* [est] *beaucoup plus qu'un simple moyen de transport. Il oblige en effet à restructurer l'espace. (...) Il constitue le fil rouge autour duquel s'organisent de nouveaux modes de vie. »
Jean-Marc Ayrault, député-maire de Nantes (Loire-Atlantique), 1993.

Tramway moderne, métro automatique

Mais si les technologies du métro et du tramway sont anciennes et éprouvées, c'est une nouvelle génération de matériels et d'aménagements que les citadins ont découvert à partir de la fin des années soixante-dix.

Les véhicules sont aisément accessibles en raison de leur plancher abaissé, à la place des marches d'autrefois, difficiles à monter. Un système de métro entièrement automatique, le Val de Matra (Val = véhicule automatique léger), équipe Lille (2 lignes) et Toulouse (1 ligne). Il n'a pas de conducteur, et l'on peut donc mettre inopinément des rames en circulation selon l'affluence. À Lyon, l'une des quatre lignes (ligne D) est équipée d'un système de conduite automatique. À Paris, ce sera le cas de Météor (ligne Tolbiac – St-Lazare) dès 1998 (*voir* pp. 34-35).

L'« effet métro » et l'« effet tramway »

L'impact du tramway et du métro sur les usagers est considérable. En effet, les réseaux de lignes d'autobus ont été reconstruits, de telle sorte que les usagers soient « rabattus » sur les axes lourds (de métros et de tramways), qui drainent 20 à 30 % du trafic total du réseau. Leur régularité et leur vitesse commerciale* sont excellentes, et les fréquences sont élevées. L'amélioration de l'offre, en quantité et surtout en qualité, renouvelle l'image du transport public, qui est tout à la fois perçu comme innovant, agréable et efficace.

Depuis le début des années quatre-vingt, les résultats sont tangibles sur le terrain : l'augmentation du nombre de voyages effectués sur les réseaux équipés en « sites propres » (tramways et métros) s'étage de 30 à 45 %. L'érosion du nombre de déplacements quotidiens par personne y a été enrayée, quand il ne s'agit pas de reprise. L'« effet métro » et l'« effet tramway » se mesurent autrement qu'en termes d'image.

Avant et après le métro ou le tramway
(en déplacements par personne et par jour, et % d'accroissement)
- **Lille (1976-1987) : de 0,21 à 0,27 (+29 %) ;**
- **Lyon (1976-1985) : de 0,39 à 0,52 (+33 %) ;**
- **Marseille (1977-1987) : de 0,33 à 0,39 (+18 %) ;**
- **Nantes (1980-1989) : de 0,33 à 0,44 (+33 %) ;**
- **Grenoble (1985-1992) : de 0,42 à 0,49 (+17 %) ;**
- **Villes « sans » : stagnation à 0,30 (0 %).**

Ci-dessous **: le métro de Singapour.**

Des matériels de conception innovante font oublier les engins d'antan, tandis que de nouvelles lignes, dont l'intégration est très soignée, donnent un visage neuf aux artères qu'elles desservent

Les métamorphoses de l'autobus

L'autobus est réputé lent, inconfortable, bruyant, polluant, difficile d'accès aux personnes âgées, handicapées ou chargées. Bref, comparé à l'automobile, il conjugue tous les défauts. Pourtant, toujours sous le même nom, des engins transfigurés font en ce moment leur apparition.

Débit des bus

Un peu partout dans le monde, un autobus standard transporte 70 passagers et peut « écouler » au plus 1400 personnes par heure et par sens ; un autobus articulé en transporte 100 pour un débit maximal de 2000 personnes. Le tramway transporte 250 passagers par heure et par sens et peut écouler jusqu'à 6500 personnes.

Une image désuète

La plupart des véhicules de transport public sont des autobus. Le parc français en compte plus de 10000. Dans de nombreuses villes, ou sur de nombreux axes, la demande n'est pas assez importante pour justifier une ligne de métro ou même de tramway (*voir* pp. 40-41). Pourtant, la capacité des autobus y est parfois insuffisante, leurs conditions de circulation médiocres et leur image désuète. Les réseaux ne peuvent développer leur attractivité et leur efficacité sans renouveler l'autobus.

À la recherche de l'« effet bus »

Au cours de cette dernière décennie, le matériel a vécu une véritable cure de jouvence. Pour améliorer son accessibilité par les personnes dont la mobilité* est réduite ou handicapée, l'autobus à plancher bas est progressivement apparu.

Des véhicules de grande capacité ont été mis en circulation sur les axes les plus chargés: autobus articulé à deux caisses, mégabus à trois caisses. Pour en finir avec la détestable image d'un véhicule polluant, des moteurs à biocarburants ou au gaz naturel, plus propres, sont à l'essai un peu partout dans le monde.
Enfin, non polluant et peu bruyant, l'antique et discret trolleybus, autobus électrique alimenté par un fil aérien, voire par des batteries, révèle tranquillement ses allures de véhicule routier «écologique».
Mais les véhicules ne suffisent pas à transformer en profondeur la perception de l'autobus, si l'infrastructure n'évolue pas aussi. Les tronçons de lignes d'autobus en «site propre*» ou en rue piétonne ont fait leur apparition dans les années soixante-dix. On compte aujourd'hui dans l'ensemble des villes françaises près de 300 km de couloirs réservés, 50 km de « sites propres » et près de 10 km de rues piétons-bus.

Dijon: l'efficacité du tout-bus sur «site propre»
Dijon (230000 habitants pour l'agglomération) est l'une des premières villes françaises à avoir réservé, en 1978, une artère majeure aux autobus et aux piétons. Le réseau dispose de 12 km de «sites propres», tant au centre qu'en périphérie, dans des quartiers nouveaux. On traverse le centre en cinq minutes, et l'autobus assure 40% des déplacements* motorisés qui s'y dirigent.

Vers le croisement du trolleybus et du tramway

Pour augmenter la capacité de l'autobus et surtout le faire bénéficier d'un effet d'image comparable à celui du tramway, exploitants et constructeurs sont à la recherche d'un intermédiaire entre autobus et tramway. Comme ce dernier, il devrait être doté du pouvoir de métamorphoser l'espace public et d'attirer les usagers. Ainsi qu'en témoigne le trolleybus, croisement du bus et de l'électricité, l'autobus présente d'étonnantes facilités de transformation.

Tramway sur pneus

Les industriels ont construit les prototypes de trolleybus de grande capacité guidé par un rail, appelé tramway sur pneus ou «transport sur voie réservée» (TVR). Il combinerait les avantages du tramway: «site propre» intégral, électricité, guidage, grande capacité, image innovante, pour un coût deux fois moins élevé environ. Il conviendrait tout particulièrement aux villes moyennes comme Caen ou Le Mans, qui sont en train d'étudier l'éventualité de s'en doter.

Les autobus de conception récente rompent avec une image dépassée: ils sont modernes, confortables, et donnent même naissance à une gamme de matériels nouveaux, comme le tramway sur pneus.

Le tout-voiture contre la ville

L'automobile est à la fois instrument et objet symbolique de la liberté individuelle. Mais elle déplace avec elle un cortège indésirable de consommations, pollutions, nuisances, stress et accidents. S'en débarrasser grâce au progrès technique semble plus facile à dire qu'à faire.

L'espace public dévoré par la voiture particulière

À Paris, la voirie est occupée à 60 % par les voitures en stationnement, à 35 % par les voitures en circulation, et à 5 % seulement par les autobus. Pourtant, on ne peut faire passer en une heure que 200 personnes par mètre de largeur de voie en voiture, contre 1 500 en autobus... et 3 600 à pied !

Pollutions et nuisances en tout genre

Le fait que l'automobile soit devenue le mode de transport dominant dans les villes n'est pas resté sans conséquences. Dans le milieu de vie urbain, la circulation automobile est à l'origine de 90 % des émissions de monoxyde de carbone (CO) et de plomb, 70 % des émissions d'oxydes d'azote (NO) et 50 % des hydrocarbures en suspension. Tandis que les pollutions d'origine industrielle ont diminué de moitié au cours des quinze dernières années, les pollutions dues à la circulation se sont accrues de près de 90 %. Les *smogs** hivernaux des années cinquante, alimentés par le dioxyde de soufre (SO_2), ont laissé la place aujourd'hui aux fins brouillards photochimiques de l'été, inodores mais tout aussi nuisibles, puisqu'ils sont impliqués dans les maladies des voies respiratoires. À la pollution de l'air s'ajoute tout un lot d'autres nuisances : le bruit, qui gêne un citadin sur deux, le stress dû à la congestion* de la voirie, qui fait perdre chaque jour 300 000 heures en Île-de-France, c'est-à-dire autant que la durée totale d'une journée de travail... à Lyon ! Il faut encore évoquer l'inconfort de l'espace public pour les piétons face à l'envahissement de l'automobile, ainsi que les accidents. On compte chaque année en France 1 600 tués en ville et

12 500 blessés graves, mais la peur d'être accidenté, chez les personnes âgées ou les parents d'élèves, contribue aussi à produire des stress urbains.

Démaillage du tissu urbain

L'impact de l'omniprésence de l'automobile sur la forme des villes est tout aussi net: la fluidité de la circulation automobile s'accommode mal des hautes densités urbaines, tout comme des fortes variations de la densité entre centres et périphéries. Le tout-voiture urbain dévore l'espace, dilue la ville dense, étire les distances, stimule la consommation d'énergie et l'émission de polluants. La surface de voirie est, par exemple, huit fois plus élevée dans les villes américaines que dans les villes européennes, celle des places de stationnement trois fois plus élevée.

Les solutions qui permettraient d'assurer l'avenir de l'automobile dans la ville sont avant tout techniques, et ne portent guère sur le changement des comportements: véhicules plus petits, peu ou non polluants, grâce à l'électricité ou au gaz, autoroutes et parcs souterrains. Mais, face au nombre de véhicules à équiper et à mettre en circulation, le fait de soumettre la mobilité* individuelle à des conditions écologiques et sociales acceptables revient à un coût exorbitant.

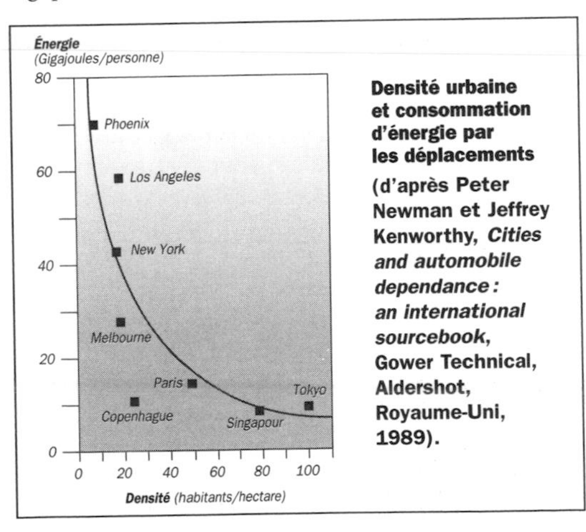

Densité urbaine et consommation d'énergie par les déplacements
(d'après Peter Newman et Jeffrey Kenworthy, *Cities and automobile dependance: an international sourcebook*, Gower Technical, Aldershot, Royaume-Uni, 1989).

L'automobile est la première cause de pollution de l'air et de dégradation de la qualité de la vie urbaine. La voiture électrique ne modifiera cet état de fait ni rapidement, ni en profondeur.

Le « développement urbain durable » : utopie ou modèle ?

Le « développement durable » s'est largement imposé lors du fameux « Sommet de la Terre », conférence mondiale de l'ONU, qui s'est tenu en 1992 à Rio, au Brésil. Appliqué à la ville, ce concept aux dimensions universelles peut-il fournir le fil conducteur d'une nouvelle gestion de la mobilité ?

« Le centre de nos villes devient invivable à cause de l'automobile, et nous créons (...) à sa périphérie un urbanisme invivable sans l'automobile ; notre développement urbain actuel n'est pas un développement durable. Certes la mobilité est synonyme de liberté et chacun sait que la liberté n'a pas de prix, mais hélas la liberté a (...) un coût élevé que nous cherchons à cacher. »
Yves Martin, président de la section technique du Conseil général des Mines, « Éditorial », ***Transports urbains,*** **n° 87, 1995.**

Changer de modalités

La part des hommes qui habiteront dans de grandes villes au début du XXIe siècle avoisinera 60 % de l'humanité. En Europe, elle atteindra 80 %. Vingt-trois agglomérations compteront plus de dix millions d'habitants, dont dix-sept dans les pays en voie de développement. Mais les villes ne sont déjà plus des villes : couronnes périurbaines* et conurbations* font coaguler en larges nappes de véritables régions urbaines. Les modalités de la croissance économique et de l'extension spatiale des villes reposent sur le déplacement* incessant des hommes et des biens, laissant sur le bord du chemin des pays, des régions, des villes, des quartiers, engloutissant l'énergie fossile (pétrole, charbon, gaz naturel) et perturbant les systèmes écologiques, les cycles géochimiques et les climats. L'effet de serre (*voir* encadré) est un cocktail de ces dysfonctionnements.

Un développement économique et social viable

C'est sur ce constat alarmant – alarmiste selon certains – que s'appuient les principes fondamentaux du développement durable, c'est-à-dire d'un modèle de développement économique et social viable, susceptible de durer. Il est fondé sur une double solidarité : entre riches et pauvres, entre Nord et Sud, mais aussi entre catégories sociales d'une part, entre générations actuelles et futures d'autre

Effet de serre
Le gaz carbonique présent dans l'atmosphère a la propriété d'empêcher la chaleur solaire de se dissiper dans la haute atmosphère. Il se comporte comme la vitre d'une serre. Conséquence : la température de la surface de la Terre augmente, la fonte des glaciers est accélérée et le niveau des océans monte.

part, auxquelles les patrimoines naturel et économique doivent pouvoir être transmis. Une gestion écologique et économique durable a pour finalité le bien-être social et individuel de tous, pour aujourd'hui et pour demain. Utopie ? À l'échelle planétaire, peut-être.

Le chantier du « développement urbain durable »

Appliqué à la ville, le concept de « développement durable » peut se décliner en objectifs réalistes, autour d'une idée générale : moindre consommation d'eau, d'énergie, d'espace, raccourcissement des circuits de traitement et recyclage des déchets, des eaux usées, des matériaux de démolition, limitation des déplacements inutiles d'hommes et de marchandises, solidarité sociale et cohésion géographique.
Le « développement urbain durable » implique des politiques urbaines globales, intégrant l'environnement, le social, l'urbanisme et les déplacements. D'un point de vue méthodologique, il nécessite la connaissance des impacts et des coûts réels – écologiques, économiques et sociaux de la vie urbaine – aussi bien à l'échelle locale qu'à des échelles plus vastes, y compris à l'échelle de la planète.

L'application du concept de « développement durable » à la ville n'est pas théorique. Elle conduit à définir des actions concrètes en faveur d'une gestion urbaine plus économe et inspirée de l'écologie.

Le transport public, acteur de la qualité urbaine

Le transport public n'a pas besoin de forcer sa nature pour servir une vie urbaine écologique et économe. Mais il se mêle aussi de ce qui, en apparence, ne devrait pas le regarder, à savoir de paysage, d'architecture, d'ambiance. Bref, d'« urbanité » ?

Un mode de transport économe et efficace

Dans la ville, où l'espace public est rare et doit être partagé entre de multiples utilisateurs au profit de multiples activités, les transports publics sont à la fois économes et efficaces. Rapporté au voyageur-kilomètre (soit un voyageur parcourant un kilomètre), l'autobus consomme près de quatre fois moins d'espace que l'automobile. Pour faire parcourir ce kilomètre, il consomme deux fois moins d'énergie, émet cinq fois moins d'oxydes d'azote et treize fois moins de monoxyde de carbone. Le coût de construction d'une autoroute urbaine à deux fois deux voies équivaut à celui d'une ligne de métro, mais ce dernier a un débit de véhicules quatre fois supérieur. Pour le même débit, environ 5 000 véhicules par heure et par sens, une ligne de tramway coûte quatre fois moins cher que l'autoroute. La quantification des externalités* (ou coûts externes) – à savoir impacts du bruit et de la pollution sur la santé, dommages écologiques et architecturaux, heures gaspillées dans les embouteillages – fait apparaître un coût supporté par la société française prise dans son ensemble de 113 milliards de francs pour l'automobile et de 4,5 milliards pour les transports publics.

Des citadins mal dans la ville

En France, ils sont 80 % à dénoncer la pollution et 60 % le bruit. Ils sont 70 % à souhaiter la limitation de l'usage de la voiture en ville et le développement des transports publics, même s'il faut pour cela gêner les automobilistes. (Source : *Les Déplacements urbains en province, pratiques et opinions,* Ademe/GART/Cetur/UTP, 1994).

L'un des meilleurs outils de « requalification urbaine »

Les avantages urbains des transports publics ne s'arrêtent pas à des dimensions strictement économiques ou écologiques. Lorsqu'une politique de développement

Animer la ville
Le transport public, acteur de la vie urbaine, contribue à son animation à Besançon, Dijon, Lorient, Grenoble, Nantes ou Strasbourg, ou encore à l'étranger, comme à Fribourg-en-Brisgau (Allemagne), où les tramways portent les couleurs des boutiques de la ville.

ambitieuse est mise en œuvre pour accueillir un nouveau matériel et lui donner toute son efficacité, elle s'appuie sur la construction d'un « site propre* » et sur le réaménagement de l'espace public au profit des piétons et des cyclistes, ainsi que sur un plan de circulation et de stationnement cohérent pour les voitures. Le transport public apparaît alors comme un instrument idéal pour redonner de la qualité à l'espace public. Restauration d'immeubles, embellissement des places et des rues, plantations d'arbres, création d'espaces de rencontre et de déambulation, redynamisation du commerce : tel est par exemple le cortège urbain du tramway, paysagiste et architecte à sa façon, qui contribue à relancer l'attractivité des centres. En dehors du centre, les liaisons performantes du transport public avec des lieux attractifs dans les banlieues, comme les universités, les centres de congrès, de loisirs, de sport, de culture, voire de consommation, recollent les fragments de la ville.

Si l'on considère le seul service rendu, les transports publics sont beaucoup plus avantageux pour la collectivité que l'automobile. Mais ils offrent aussi une occasion d'améliorer la qualité de l'espace public pour tous ses usagers.

Le transport public, facteur de cohésion sociale

Le transport public est le seul lien qui rattache les exclus de la mobilité individuelle aux différents morceaux de la ville éclatée. Parce qu'ils assurent l'accessibilité du centre aux plus démunis et freinent le phénomène de ghetto, ils participent à leur façon au débat politique sur la ville.

Face à la violence

Dans les quartiers les plus difficiles, les véhicules de transport public cristallisent la rancune et la violence des exclus de la société de consommation. La sécurité du personnel et des usagers, ainsi que le matériel, en souffrent parfois durement (photo *ci-contre*). Il est vrai que le transport public est parfois le seul service public à certaines heures et dans certains quartiers. Il représente alors un pouvoir politique considéré comme responsable de la ségrégation sociale.

La ségrégation par l'immobilité

La voiture a façonné la ville à son image, si l'on peut dire: faibles densités (en bâti, en habitants, en emplois), fragmentation spatiale. Mais par son biais, les différents groupes sociaux ont aussi pu prendre leurs distances les

uns vis-à-vis des autres. La ségrégation sociale dans l'espace urbain n'a certes pas attendu la voiture particulière pour se manifester, mais celle-ci l'a techniquement autorisée, voire encouragée à grande échelle. Les grands ensembles construits dans les années soixante, peu attractifs, ont vu partir de nombreux ménages susceptibles d'acquérir une maison individuelle dans le périurbain*. Par soustraction, sont restées des populations économiquement vulnérables, mal intégrées à la culture dominante en raison de différences linguistiques ou ethniques. Le taux de chômage y oscille aujourd'hui entre 30 et 40 %.

Mais la famille des immobiles par contrainte déborde largement les quartiers dits en difficulté : les personnes âgées, les jeunes, les membres non actifs de ménages monomotorisés (une seule voiture dans le ménage) sont exclus du « mouvement de la vie ». Dans la ville fragmentée, cela signifie qu'ils sont rivés à leur quartier, dont la variété des activités possibles est forcément réduite, en raison de la spécialisation de l'espace urbain.

Emploi et formation
Les entreprises privées qui exploitent les transports publics (*voir* pp. 26-27), en coopération avec les collectivités locales et l'État, sont souvent impliquées dans des actions en faveur de l'emploi : localement par le recrutement de jeunes chômeurs sur le terrain ou, sur une plus grande échelle, par la formation d'apprentis.

Un outil de solidarité sociale et géographique

Dans la ville trop vaste pour la marche, où l'inaptitude à se mouvoir par ses propres moyens constitue l'un des premiers facteurs d'exclusion, le transport collectif est investi d'une mission de service public : il doit assurer le lien entre les fragments de l'espace urbain, désenclaver les quartiers en marge et donner aux citadins non motorisés l'opportunité de bouger comme tout le monde.

Les fréquences de passage, l'amplitude du service, en particulier en soirée, la qualité du matériel, la présence de personnels d'accompagnement destinés à assurer l'information, la sécurité ou l'animation, la gratuité et les réductions (tarifs spéciaux pour les jeunes en période estivale par exemple), tout cela s'additionne pour compenser les effets de l'éloignement et de la captivité* vis-à-vis du transport collectif. De nombreux réseaux ont recours à cette panoplie d'attentions, à travers laquelle s'exprime, plus que le service de transport, l'intérêt de la collectivité pour la solidarité sociale.

Au-delà du simple service de transport, les transports collectifs remplissent une mission de service public essentielle au maintien de la solidarité sociale et de la cohésion géographique de la ville.

La ville autrement (1) : partager l'espace

Consommer moins d'énergie, émettre moins de pollution et de bruit, faire diminuer les embouteillages et l'insécurité, réduire le coût des infrastructures, tout cela sans porter atteinte à la liberté de mouvement des citadins, est-ce possible ? Oui, en partageant.

Le transfert modal

Là où l'espace est rare et convoité, c'est-à-dire dans la partie centrale des agglomérations, l'automobile atteint le sommet de son inaptitude à être un moyen de déplacement* intra-urbain : elle demeure peu efficace et elle gêne tout le monde.

Le partage de la voirie et le report des automobilistes sur d'autres modes de déplacement, appelé transfert modal*, s'impose lentement, difficilement, tant il paraît risqué, d'un point de vue politique, de remettre en cause l'espace de l'automobile. Le plus souvent, les « sites propres* » et les rues mixtes piétons-transports publics s'accompagnent de parcs de stationnement souterrains au centre même des villes. Cela évite aux élus de choisir entre automobile et transport public à la place du citadin.

Parc-relais à Strasbourg

Trois parcs-relais ont été créés en 1995 en même temps que la ligne de tramway. Pour 12 francs, un véhicule stationne toute la journée et tous ses passagers peuvent faire un aller-retour gratuit en tramway. Auparavant, 90 % des usagers des parcs se rendaient au centre en voiture, où le stationnement coûte 9 francs de l'heure.

Des méthodes pour réduire l'usage de la voiture

Mais il existe aussi toute une batterie de moyens radicaux pour entraîner le report de la voiture sur les transports publics et le vélo. Leur mise en œuvre est plus ou moins avancée selon les conceptions culturelles de la vie urbaine : l'Allemagne, la Suisse, les pays scandinaves tiennent la tête du mouvement pour le partage de la rue.

Par exemple, on peut assujettir à un péage l'accès des voitures dans le centre, comme à Singapour ou Trondheim, Oslo et Bergen en Norvège. On peut interdire des quartiers aux voitures en visite, comme à Bologne ou Milan en Italie, ou encore créer des réseaux de rues au trafic ralenti («zone 30», zone limitée à 30 km/h), comme à Berlin. Les places de stationnement dans les immeubles de bureau peuvent être volontairement limitées, comme à Zurich en Suisse. Ces méthodes sont efficaces pour rendre dissuasif l'usage de la voiture.

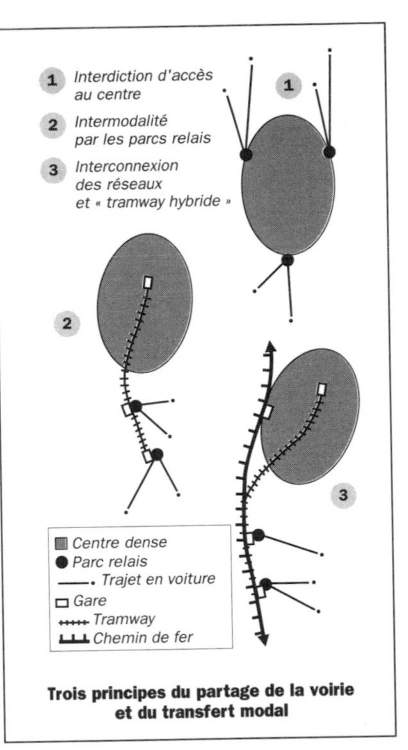

Trois principes du partage de la voirie et du transfert modal

Le transfert modal par la complémentarité

On peut préférer offrir des flottes de voitures électriques en libre-service dans des parties de ville interdites aux autres automobilistes. Dans les déplacements entre le périurbain* et le centre, le «covoiturage*» peut être encouragé par des mesures financières, par des avantages matériels comme à Los Angeles aux États-Unis (*voir* pp. 58-59). L'intermodalité* consiste à favoriser l'abandon de la voiture en périphérie, là où son efficacité diminue et sa gêne augmente, au profit du transport public. Des «parcs-relais» sont alors installés aux abords des gares ou abrités dans des «pôles d'échange» avec le tramway, voire avec l'autobus. Ils sont courants en Allemagne, plus récents en France.

Enfin, l'«hybridation» des réseaux de tramway et de chemin de fer de banlieue, telle qu'elle est pratiquée en Allemagne à Karlsruhe, et actuellement à l'étude dans plusieurs autres villes d'Europe, offre une efficace solution de remplacement de la voiture: de nombreux parcs-relais en grande périphérie, un tramway rapide empruntant des lignes de chemin de fer, puis des raccordements ferroviaires aux entrées des villes pour desservir les rues du centre, sans changement de rame.

Les politiques de partage de la voirie et de report de l'automobile sur le transport public disposent d'une large panoplie de moyens, allant du péage d'accès au centre jusqu'à l'incitation à pratiquer l'intermodalité.

La ville autrement (2) : réhabiliter la proximité

La ville qui convient à la voiture, c'est la ville étalée, fragmentée géographiquement, divisée socialement. Un autre modèle existe, celui de la ville dense, diverse, où le mouvement s'épanouit tout aussi librement : c'est la « ville de proximité », la ville à portée de bras pour tous... à portée de bus.

Émergence d'un urbanisme de proximité

Les contraintes d'environnement qui pèsent sur les villes, surtout les grandes, remettent en cause le modèle de la ville étalée, où la faiblesse de la densité (en habitants, en emplois, en bâti) est compensée par la rapidité des déplacements* individuels. Mais la ville étalée tend d'autres pièges : son coût individuel et collectif est élevé, et suppose une croissance économique soutenue. Même en Californie, pays de la voiture et de l'autoroute (cocktail qui dissout la ville dense), le rythme de construction des autoroutes ne peut suivre la demande, car le coût est insupportable.

Le contrôle de l'urbanisation n'est pas seulement motivé par des raisons écologiques et économiques. S'y ajoutent une importante dimension culturelle et une dimension sociale. Partout, les villes sont à la fois des lieux privilégiés de la mémoire collective, des creusets où s'affrontent et se fondent des cultures diversifiées.

Un petit quelque chose d'urbanité

Si l'automobile a trouvé sa niche dans l'univers de l'individualisme, le transport public prend place dans l'univers de la ville. Cette dernière repose, aujourd'hui comme hier, sur le patrimoine, la diversité, la densité, plus ce petit quelque chose d'indéfinissable, l'urbanité, que le transport public sait véhiculer depuis toujours.

Restaurer la densité urbaine

L'entretien de la diversité urbaine selon des procédés plus économiques et moins destructeurs suppose le retour à la proximité physique, c'est-à-dire à la densité, celle-là même que l'on avait cherché à fuir, dans les années soixante-dix à quatre-vingt, dans l'étalement et la distance. La restauration de la densité urbaine constitue un nouveau défi pour l'urbanisme.

Le modèle rhénan

Logements, emplois, écoles, commerces, espaces verts, voies calmes et sûres, autobus et tramways : en un mot, la « ville durable ». Le tout dans une proximité qui valorise les échanges entre citadins, tout en faisant disparaître l'insupportable impression de densité, grâce à la présence de la nature (photo *ci-contre*).

Après un siècle de combats contre l'insalubrité urbaine, gagnés grâce à la spécialisation de l'espace et à l'« aération » de la ville, l'urbanisme est paradoxalement invité à inventer la densité « habitable ».

Densité « habitable » : principes et obstacles

Les principes en sont connus : mixité des fonctions urbaines (et non séparation), noyaux denses fortement reliés entre eux par des transports collectifs lourds, restauration du patrimoine historique, proximité de la nature, aménagement de l'espace public, freinage de la ségrégation sociale. Certaines villes ressemblent plus à ce portrait-robot que d'autres : c'est le cas de quelques villes allemandes présentées comme un « modèle rhénan » (*voir* encadré).

Les obstacles à la mise en œuvre d'un tel urbanisme sont nombreux : vision politique à trop court terme, surestimation du risque électoral par les gouvernants, défaut de maîtrise des sols, défaut d'institutions politiques à l'échelle de la ville entière, défaut de prise en compte des coûts sociaux, déconsidération des projets par les défenseurs politiques et économiques du « laisser-faire », au nom de la liberté et du profit (constructeurs automobiles, secteurs du bâtiment, etc.).

La ville dense et diverse, conforme à la culture urbaine comme aux principes du développement durable, constitue avant tout un projet politique. Le transport public y joue un rôle déterminant, qu'il n'a pas eu, en revanche, dans le cas de la ville étalée.

Quelques matériels, quelques chantiers

Quelques matériels

Le tramway: c'est un véhicule ferroviaire. Il roule sur des rails et est propulsé par un moteur électrique, alimenté par un fil aérien. Le retour du courant est assuré par les rails, comme pour les locomotives électriques. Il est composé de deux ou trois caisses. Les modèles les plus récents sont à plancher bas, afin de faciliter l'accès au véhicule. Le plus souvent, le tramway roule «à vue», comme un autobus, c'est-à-dire qu'il a la possibilité d'éviter un obstacle. Il peut également rouler sur des infrastructures de chemin de fer, grâce à une adaptation au courant électrique et à la signalisation ferroviaire. C'est le «tramway hybride» (il existe en Allemagne à Karlsruhe).

Carte d'identité du tramway
Capacité: 220 places
Longueur: 29,5 m
Rayon de courbure minimal: 25 m
Pente maximale: 7%
Vitesse moyenne pour l'usager
(arrêts compris): 18 à 25km/h
Durée de vie: 30 ans
Prix: 13 millions de francs
Constructeurs: GEC-Alsthom,
Siemens, ABB.

L'autobus: l'autobus peut être simplement à une caisse (on dit alors «standard»), mais aussi articulé, à deux ou plus rarement trois caisses. Le plus courant est l'autobus à deux caisses, utilisé sur les lignes à fort trafic. L'évolution la plus importante concerne le plancher bas, pour en faciliter l'accès. La recherche se poursuit dans le domaine des moteurs et des carburants, pour une plus grande propreté.

Carte d'identité de l'autobus articulé
à deux caisses
Capacité: 120 places
Longueur: 17,5 m
Rayon de courbure minimal: 12 m
Pente maximale: 20 %
Vitesse moyenne pour l'usager
(arrêts compris): 12 à 18 km/h
Durée de vie: 15 ans
Prix: 1,8 million de francs
Constructeurs: Renault, Mercedes, Van Hool,
Heuliez...

Le trolleybus: c'est un autobus propulsé par un moteur électrique. Ce dernier est alimenté par deux fils aériens. Il est silencieux et non polluant. Les modèles les plus récents sont à deux caisses et sont équipés d'un plancher bas pour en faciliter l'accès, comme l'autobus et le tramway. Certains trolleybus disposent également d'un moteur diesel, de façon à pouvoir se déplacer sans les fils électriques sur certains tronçons. Ce sont les trolleybus «bimodes».

Carte d'identité du trolleybus articulé
Capacité: 115 places
Longueur: 17,5 m
Rayon de courbure minimal: 13 m
Pente maximale: 18%
Vitesse moyenne pour l'usager
(arrêts compris): 12 à 18 km/h
Durée de vie: 20 ans
Prix: 2,7 millions de francs

Constructeurs: Renault, Mercedes, Van Hool...

Val: véhicule automatique léger: le Val est un métro sur pneus, propulsé par un moteur électrique. Il est entièrement automatique, c'est-à-dire qu'il n'a pas de conducteur; il est guidé à distance à partir d'un poste de commande central. On peut ajouter ou retrancher des rames par simple commande automatique. Pour des raisons de sécurité, les quais sont équipés de portes, qui s'ouvrent en même temps que celles de la rame.

Carte d'identité du Val
Capacité d'une rame: 150 à 300 places (une ou deux rames)
Vitesse moyenne pour l'usager (arrêts compris): 30 à 35 km/h
Durée de vie: 30 ans
Prix d'une rame (2 voitures): 25 millions de francs
Constructeur: Matra-Transport

TVR: « transport sur voie réservée » ; également appelé TRG: « transport routier guidé », ou encore GLT: « *guided light transit* ». C'est un véhicule routier et non ferroviaire, qui tient à la fois de l'autobus et du tramway: il roule sur pneus comme un autobus, il est électrique comme un trolleybus, et il est guidé comme un tramway, mais généralement par un seul rail. Il peut être à deux ou trois caisses selon les besoins. Un prototype construit par Bombardier-Eurorail et Spie-Enertrans a été retenu par l'agglomération de Caen à l'état de projet.

Carte d'identité du TVR (à trois caisses)
Capacité: 150 places
Longueur: 24,5 m
Rayon de courbure minimal: 13,50 m
Pente maximale: 13%
Vitesse moyenne pour l'usager (arrêts compris): 18 à 25 km/h
Durée de vie: 30 ans
Prix: 9 millions de francs
Constructeurs: Bombardier-Eurorail, Mercedes, Lohr, De Dietrich, Renault...

Quelques chantiers en France

– Les opérations réalisées entre 1978 et 1995

Dans trois villes, Lille, Marseille et Saint-Étienne, une ligne de tramway subsiste des anciens réseaux. Ces trois lignes ont été récemment modernisées: matériel neuf, prolongements de ligne. Depuis 1978, huit villes ont accueilli des infrastructures lourdes, métros et lignes de tramway, pour une longueur totale de 130 km et un investissement total de plus de 40 milliards de francs.
Remarque : le nombre d'habitants est donné pour la ville et sa banlieue.

Lyon (1 159 000 hab.): métro
– lignes A, B, C   1978-1984   14,1 km
– ligne D   1992   11,3 km
(Maggaly: métro automatique)

Marseille (855 000 hab.): métro et tramway
– ligne 1 (métro)   1978   9 km
– ligne 2 (métro)   1984-1987   9 km

Grenoble (370 000 hab.): tramway
– ligne A   1987   12,3 km
(y compris prolongements de 1995 et 1996)
– ligne B   1990   5,9 km

Nantes (505 000 hab.): tramway
– ligne 1   1985-1989   12,6 km
– ligne 2   1992-1994   13,9 km

Lille (1 043 000 hab.): métro automatique léger (Val, véhicule automatique léger)
– ligne 1   1984   13,3 km
– ligne 1 bis   1989   12,1 km

Toulouse (632 000 habitants): métro automatique léger (Val)
– ligne A   1993   9,1 km

Strasbourg (397 000 hab.): tramway
– ligne A   1994   12,6 km

Rouen (335 000 hab.): tramway
– ligne 1   1994   11,1 km

Quelques chantiers (suite)

Île-de-France (RATP seulement)
– Orlyval (métro automatique léger)
1991 7,2 km
– Tramway St-Denis – Bobigny
1992 9 km
– Trans Val-de-Marne (« site propre* » autobus) 1993 12,3 km

– Opérations en cours ou en projet

Trente agglomérations françaises ont un projet de transport public en « site propre ». Parmi elles, une douzaine devraient pouvoir concrétiser ce projet avant 2001. L'investissement total s'élèverait à près de 40 milliards de francs. Le nombre total de kilomètres de nouveaux « sites propres » serait de l'ordre de 300 km.

Grenoble, Strasbourg, Nantes et Rouen ont en projet une nouvelle ligne de tramway, la deuxième ou la troisième selon les cas. Toulouse projette une nouvelle ligne de Val. À Paris, une ligne de métro automatique appelée Météor est en cours de construction.

À Clermont-Ferrand, Montpellier, Valenciennes et Orléans, une première ligne de tramway est prévue ou en cours de réalisation. À Rennes, une ligne de Val est en cours de travaux. À Caen, une ligne de tramway sur pneus (TVR) est projetée, ainsi qu'à Nice.

Dunkerque, Le Mans, Metz, Bordeaux, Toulon, Tours et Mulhouse étudient la possibilité de réaliser un « site propre », la technique n'étant pas arrêtée (tramway ou TVR).

Quelques cas étrangers

En parcourant les villes étrangères...

Copenhague (Danemark) : un réseau pour les vélos.
Il y a 300 km de pistes cyclables dans la ville. Le quart des déplacements* est fait à vélo. Au cours des années quatre-vingt, ils ont augmenté de moitié. Les pistes desservent des zones d'emploi et de commerce.

Bologne (Italie) : pas d'accès au centre-ville pour les voitures.
Dans cette agglomération de 500 000 habitants, le centre-ville historique n'est pas adapté à la circulation automobile. Il est donc inaccessible aux voitures particulières. Le centre est découpé en quatre secteurs, et les autorisations de pénétrer dans le centre en voiture ne sont données qu'aux résidents et aux entreprises, et pour un seul des quatre quartiers. Tout transit est donc impossible, même aux résidents. Le trafic automobile a diminué de moitié dans la zone inaccessible aux visiteurs.

Fribourg (Allemagne) : partage de l'espace public.
L'aménagement de la voirie donne une grande place aux vélos, aux piétons et aux transports publics. Dans cette agglomération de 200 000 habitants, il y a 5 lignes de tramway qui s'étendent sur 40 km. La fréquence aux heures de pointe est de 3 minutes. Les tarifs sont attractifs. On n'a pas augmenté le nombre de places de stationnement dans les parkings. Là où elles peuvent rouler, les voitures sont limitées à 30 km/h. Le trafic de transit est détourné sur des voies rapides extérieures. Résultat : piétons, vélos et transports publics assurent 64 % des déplacements, la voiture seulement 36 %.

Quelques cas étrangers (suite)

Los Angeles (États-Unis) : le « covoiturage* » encouragé.
Afin de diminuer le nombre de voitures insuffisamment occupées, le « covoiturage » est encouragé par les pouvoirs publics. Des files peu encombrées sont réservées sur certaines autoroutes aux véhicules occupés par plusieurs personnes. Les employeurs sont invités à développer le covoiturage au sein de leur personnel. Ils y trouvent des avantages financiers ou ont au contraire des charges supplémentaires, en fonction des résultats qu'ils obtiennent.

Nuremberg (Allemagne) : à long terme, une « ville de proximité ».
Le schéma directeur prévoit de densifier l'agglomération existante, de mêler habitat, travail, commerces et loisirs dans les mêmes quartiers, de n'urbaniser de nouveaux espaces qu'à proximité des lignes de RER (Réseau express régional) ou de métro existantes, de freiner ou d'empêcher l'installation de grandes surfaces en périphérie. Le nombre de places de stationnement prévues dans les immeubles en construction au centre est limité à une place pour 300 m^2 de plancher (en France, une pour 20 à 60 m^2 en général).

Bergen (Norvège) : péage pour venir au centre de la ville.
Dans cette ville de 200 000 habitants, des péages ceinturent le quartier central de la ville. Dans la journée, il faut payer pour pénétrer dans le centre et y rouler, en plus du stationnement. Ce système existe dans d'autres villes norvégiennes, comme Trondheim ou Oslo (on le rencontre aussi en Asie, à Singapour et Hongkong).

Quelques chiffres

Les villes suisses, allemandes, mais aussi les villes asiatiques dans les pays développés comme les villes japonaises, sont caractérisées par une proportion élevée de déplacements à pied, à deux-roues et en transports collectifs. Cela tient à la fois à leur densité et à leurs modes de vie. À l'opposé se trouvent les villes d'Amérique du Nord, mais aussi d'Australie, où la part de la voiture particulière dans les déplacements est écrasante.
Les villes d'Europe de l'Ouest (France, Royaume-Uni) et du Sud (Italie, Espagne) se situent en général entre ces deux « modèles ».

Part des différents modes de déplacement* dans quelques grandes agglomérations étrangères

Agglomérations	% VP	% TP	% M/2R
Zurich (Suisse)	28	37	35
Berne (Suisse)	28	32	40
Amsterdam (Pays-Bas)	31	23	46
Chiba (Japon)	33	22	45
Bologne (Italie)	35	30	35
Fribourg (Allemagne)	42	18	40
Munich (Allemagne)	40	24	36
Rome (Italie)	52	32	16
Trondheim (Norvège)	60	12	28
Bristol (Royaume-Uni)	65	7	28
Phoenix (États-Unis)	96	1	3

VP : voiture particulière.
TP : transports publics.
M/2R : marche et deux-roues.

Quelques chiffres (suite)

Agglomérations	Déplacements				Transports publics	
	Nombre/jour et habitant	% voiture particulière	% transports publics	% marche et deux-roues	Offre : kilomètres parcourus par les véhicules/nombre d'habitants desservis	Usage : voyages/ nombre d'habitants desservis
PARIS	3,5	44	20	36	58	321
LILLE	3,4	56	7	37	28	102
LYON	3,2	49	15	36	46	185
MARSEILLE	2,9	51	11	38	38	179
BORDEAUX	3,1	64	10	26	34	92
TOULOUSE	2,9	64	10	26	26	105
NANTES	3,3	60	13	27	33	164
GRENOBLE	3,6	54	14	32	35	135
STRASBOURG	3,8	49	7	44	27	102
DIJON	4,0	49	14	37	39	174
AIX-EN-PROVENCE	2,9	64	8	28	18	56

Déplacements (tous modes), offre et usage des transports publics dans quelques agglomérations françaises

La part des transports publics peut varier du simple au triple (de 7 à 20 %) selon les agglomérations, de même que l'offre (18 à 58 %).

Quelques termes techniques

Autorité organisatrice : commune ou groupe de communes responsables des transports publics urbains.

Cabotage : navigation de port en port. Au sens figuré, multiples déplacements de proximité.

Captif : sous-entendu « captif des transports publics ». Désigne une personne qui ne dispose pas d'un moyen de déplacement motorisé personnel. Certains sont permanents : ils ne possèdent pas de véhicule. D'autres le sont momentanément : la voiture est déjà utilisée.

Chaîne de déplacement : ensemble de déplacements réalisés pour des motifs différents sans revenir au domicile.

Congestion (de la voirie) : ralentissements et embouteillages.

Conurbation : agglomération formée de plusieurs villes proches, soudées par leurs banlieues.

Covoiturage : emploi d'une seule voiture par plusieurs personnes, qui s'entendent entres elles et utilisent leur voiture à tour de rôle pour aller travailler.

Délégation (de service public) : contrat par lequel les pouvoirs publics cèdent à une entreprise privée l'exploitation d'un service public.

Densité : en géographie, quantité rapportée à une surface : habitants/km^2, emplois/km^2, logements/km^2, etc.

Quelques termes techniques (suite)

Déplacement : c'est l'unité de mesure de la mobilité quotidienne. Un déplacement a une origine et une destination, un motif (école, achats, travail, etc.), un mode de transport. Un aller-retour vaut deux déplacements.

Externalités : coûts (ou recettes) occasionnés par une activité et qui ne sont pas payés (ou perçus par ceux qui pratiquent cette activité).

Holding : société financière qui détient des participations dans plusieurs entreprises placées sous son contrôle.

Intermodalité : utilisation de plusieurs modes de transport au cours d'un même déplacement (voiture puis métro, par exemple).

Joule : unité de mesure de l'énergie et de la chaleur, du nom du physicien anglais. Gigajoule (GJ) : un milliard de joules.

Mobilité (quotidienne) : désigne l'ensemble des déplacements réalisés au cours de la journée. Attention à ne pas la confondre avec la « mobilité résidentielle », qui désigne les changements de logement, ni avec la « mobilité professionnelle », qui désigne les changements de situation dans le travail au cours de la vie.

Multimodalité : utilisation de plusieurs modes de transport, mais pas au cours d'un même déplacement (dans ce cas on parle d'intermodalité).

Offre (de transport public) : nombre de kilomètres parcourus par les véhicules de transport public par nombre d'habitants desservis.

Parc-relais : parking créé dans les gares de chemin de fer ou les stations de transport public urbain, pour favoriser l'intermodalité.

Partage modal : répartition des déplacements entre les différents moyens de transport : voiture, transports collectifs, deux-roues, marche.

Périurbain : couronne rurale qui entoure les villes et leurs banlieues, dans laquelle s'installent des urbains résidant en maison individuelle.

Productivité (des transports publics) : kilomètres parcourus par les véhicules/ nombre total d'agents employés par le réseau de transport public.

Radiales : de rayon ; voie reliant la périphérie au centre.

Site propre : site utilisé en propre, c'est-à-dire exclusivement par les transports publics, sans voitures. On dit aussi : « transport en commun en site propre. »

Smog : mélange de fumée polluante (*smoke*) et de brouillard (*fog*).

Tangentielles : ou rocade ; voie reliant entre eux différents lieux de la périphérie, sans passer par le centre.

Transfert modal : report régulier d'un mode sur un autre pour effectuer un déplacement, de la voiture vers le transport public, par exemple.

Tronc commun : tronçon de voie sur lequel passent deux ou plusieurs lignes de transport public.

Usage (des transports publics) : nombre de voyages par nombre d'habitants desservis.

Ville-centre : désigne la commune centrale d'une agglomération, qui lui donne son nom. Les autres communes forment les banlieues. Différent de « centre-ville » : partie centrale de la ville-centre, la plus dense et la plus ancienne.

Vitesse commerciale : vitesse moyenne d'une ligne de transport public, y compris les arrêts aux stations.

Bibliographie

Généralités

LEFÈVRE (Christian) et OFFNER (Jean-Marc), *Les Transports urbains en questions*, éditions CELSE, 1990.

MERLIN (Pierre), *Les Transports urbains*, collection « Que sais-je? », PUF, 1992.

Histoire des transports urbains

MERLIN (Pierre), *Les Transports parisiens*, Masson, 1967. Statistiques et cartes nombreuses sur la mobilité.

ROBERT (Jean), *Histoire des transports dans les villes françaises*, édité et distribué par l'auteur, 1974. Abondante iconographie.

La ville en général

ASCHER (François), *Métapolis, ou l'avenir des villes*, éditions Odile Jacob, 1995. Scénario de la « métropolisation » expliquée et projetée dans le futur.

BURGEL (Guy), *La Ville aujourd'hui*, collection « Pluriel », Hachette, 1993. Tendances contemporaines, conflits, enjeux.

RONCAYOLO (Marcel), *La Ville et ses territoires*, collection « folio essais », Gallimard, 1990. Des clefs pour comprendre la ville.

Mobilité et déplacements

BIEBER (Alain), MASSOT (Marie-Hélène) et ORFEUIL (Jean-Pierre), *Questions vives pour une prospective de la mobilité quotidienne*, INRETS, 1993. Trois modèles de villes actuelles et futures.

COLLECTIF, *Un milliard de déplacements par semaine, la mobilité des Français*, La Documentation française, 1989. Portrait brossé à partir de nombreuses enquêtes.

GUIDEZ (Jean-Marie), GEFFRIN (Yves) et LASSAVE (Pierre), *10 ans de mobilité urbaine, les années 80*, Cetur, 1990. Bilan des enquêtes-ménages.

Tramway

BIGEY (Michel), *Les Élus du tramway*, mémoires d'un technocrate, Lieu commun, Édima, 1993. Comment le tramway est revenu à Nantes.

STAMBOULI (Jacques) et autres auteurs, *Demain le tramway en Île-de-France*, Association des usagers des transports d'Île-de-France, 1995. Plaidoyer pour le tramway.

L'automobile et la ville

DUPUY (Gabriel), *Les Territoires de l'automobile*, Anthropos, 1995. Comment la voiture façonne les espaces urbains.

LAMURE (Claude), *Quelle automobile dans la ville?* Presses de l'École nationale des ponts et chaussées, 1995. Le point sur les techniques.

ORFEUIL (Jean-Pierre), *Je suis l'automobile*, éditions de l'Aube, 1994. Ouvrage sur la « culture automobile » et ses effets.

Déplacements et développement durable

CONFÉRENCE EUROPÉENNE DES MINISTRES DES TRANSPORTS, *Transports urbains et développement durable*, OCDE, 1995. Bilan international des impacts sur l'environnement et la société.

DRON (Dominique) et COHEN DE LARA (Michel), *Pour une politique soutenable des transports*, Rapport au ministre de l'Environnement, La Documentation française, 1995. Constats et inventaire des mesures politiques.

MOUSEL (Michel), PIÉCHAUD (Jean-Pierre) et ROURE (Jean-Claude) (sous la direction de), *Des transports nommés désir*, actes de colloque, Syros, 1995. Toutes les questions en débat sur l'impact des transports.

Aménagement de l'espace public

COLLECTIF, *Les Enjeux des politiques de déplacement dans une stratégie urbaine*, Cetur, 1994. Panorama des problématiques du transport urbain.

COLLECTIF, *Plans de déplacements urbains*, guide, Certu, 1996. Exemples et solutions pratiques pour l'aménagement.

Périodiques

FNAUT-Infos, feuille mensuelle publiée par la Fédération nationale des associations d'usagers des transports (FNAUT).

La Lettre du GART, feuille mensuelle publiée par le Groupement des autorités responsables de transport (GART).

RTS (Recherche, Transport, Sécurité), revue trimestrielle publiée par l'Institut national de recherche sur les transports et leur sécurité (INRETS).

Transflash, feuille mensuelle publiée par le Centre d'études sur les réseaux, les transports, l'urbanisme et les constructions publiques (Certu).

Transport public, revue mensuelle éditée par l'Union des transports publics (UTP).

Transports urbains, revue trimestrielle publiée par le Groupement pour l'étude des transports urbains modernes (GÉTUM), 173, rue Armand-Silvestre, 92400 Courbevoie.

Adresses utiles

Centre d'études sur les réseaux, les transports, l'urbanisme et les constructions publiques (Certu, ex-Cetur), 9, rue Juliette-Récamier, 69456 Lyon Cedex 06, tél. : 04 72 74 58 00.

Fédération nationale des associations d'usagers des transports (FNAUT), 32, rue Raymond-Losserand, 75014 Paris, tél. : (1) 01 43 35 02 83.

Groupement des autorités responsables de transport (GART), 17, rue Jean-Daudin, 75015 PARIS, tél. : (1) 01 40 56 30 60.

Institut national de recherche sur les transports et leur sécurité (INRETS), 2, avenue du Général-Malleret-Joinville, BP 34, Arcueil Cedex, tél. : (1) 01 47 40 70 00.

Musée des transports, 60, avenue Sainte-Marie, 94160 Saint-Mandé, tél. : (1) 01 43 28 37 12.

Régie autonome des transports parisiens (RATP), 54, quai de la Rapée, 75599 Paris Cedex 12, tél. : (1) 01 44 68 20 20.

Service économie et statistiques (SES), ministère de l'Équipement, tour Pascal B, 92055 Paris-La-Défense Cedex 04, tél. : (1) 01 40 81 21 22.

Union des transports publics (UTP), 5, rue d'Aumale, 75019 PARIS, tél. : (1) 01 48 74 63 51.

Le GART, l'UTP, le Certu et le SES publient des annuaires et mémentos statistiques. L'INRETS et le Certu publient une collection de rapports de recherche et de guides, ainsi que l'UTP qui a mis en place un Fonds d'intervention pour les études et la recherche (FIER).

Index

Le numéro de renvoi correspond à la double page.

Dans la même collection :

1. Le cinéma
2. Les Français
3. Platon
4. Les métiers de la santé
5. L'ONU
6. La drogue
7. Le journalisme
8. La matière et la vie
9. Le sida
10. L'action humanitaire
12. Le roman policier
13. Mini-guide du citoyen
14. Créer son association
15. La publicité
16. Les métiers du cinéma
17. Paris
18. Découvrir l'économie de la France
19. La bioéthique
20. Du cubisme au surréalisme
21. Le cerveau
22. Le racisme
23. Le multimédia
25. Les partis politiques en France
26. L'islam
27. Les métiers du marketing
28. Marcel Proust
29. La sexualité
30. Albert Camus
31. La photographie
32 Arthur Rimbaud
33. La radio
34. La psychanalyse
35. La préhistoire
36. Les droits des jeunes
37. Les bibliothèques
38. Le théâtre
39. L'immigration
40. La science-fiction
41. Les romantiques
42. Mini-guide de la justice
43. Réaliser un journal d'information
44. Cultures rock
45. La construction européenne
46. La philosophie
47. Les jeux Olympiques
48. François Mitterrand
49. Guide du collège
50. Guide du lycée
51. Les grandes écoles
52. La Chine aujourd'hui
53. Internet
54. La prostitution
55. Les sectes
56. Guide de la commune
57. Guide du département
58. Guide de la région
59. Le socialisme
60. Le jazz
61. La Yougoslavie, agonie d'un État
62. Le suicide
65. Descartes
66. La bande dessinée
67. Les séries TV
68. Le nucléaire, progrès ou danger ?
69. Les francs-maçons
70. Quel avenir pour l'Afrique ?
71. L'argent
72. Les phénomènes paranormaux
73. L'extrême droite aujourd'hui

Le Comité de promotion des transports publics a été créé en 1991 à l'initiative du Groupement des autorités responsables de transport (GART), de l'Union des transports publics (UTP) et du Syndicat des transports parisiens (STP). Il organise chaque année la Journée du transport public avec le soutien du Ministère de l'Équipement, du Logement, des Transports et du Tourisme (MELTT), la Délégation interministérielle à la Ville (DIV), la SNCF, la RATP, l'Agence de l'environnement et de la maîtrise de l'énergie (ADEME), des associations d'élus : l'Association des maires de France (AMF), l'Association des maires de grandes villes de France (AMGVF), la Fédération des maires des villes moyennes (FMVM), le Club des villes cyclabes, le Club des villes Diester, des industriels : Matra Transport International, Gec-Alsthom Transport, Renault VI, Heuliez Bus, Mercedes-Benz, mais aussi l'Association nationale pour les transports éducatifs de l'enseignement public (ANATEEP), l'Association de formation dans les transports - l'Institut de formation aux techniques d'implantation et de manutention (AFT-IFTIM), la Fédération nationale des artisans du taxi (FNAT), la Fédération nationale des associations d'usagers des transports (FNAUT), ainsi que FRANCE 3, les RADIOS LOCALES DE RADIO FRANCE et FRANCE INFO.

Crédit photos :
Transport public, mensuel édité par l'Union des transports publics (UTP), sauf pages 5, 7, 8 : Roger-Viollet, pages 55, 56 : Francis Beaucire.

Aubin Imprimeur, 86240 Ligugé. — D.L. octobre 1996. — Impr. P 52754